Ik neem toch een hond

Van Marjan Berk verschenen eerder:

Het bezuinigingskookboek (met Jeroen Krabbé)
Liefde en haat
De dag dat de mayonaise mislukte
De feminist
Een blonde rat
De zelfvergrootster
Rook in de ribben
Recital
Lellen en flantuten
De kracht van liefde of Hallo, daar ben ik weer!
Glinsteringen
Oud is in
Motormama
Dames van stand
Koken met kraaiepoten
Koninginnedag
Nooit meer slank
Traangas
Het eenvoudige kookboek (met Jeroen Krabbé)
Een mooi leesboek
Op grote voet
Gezonde lucht
Niks gemist
Onder het oppervlak
Marjan Berk's oma en opaboek
De dikke Berk
Als de dood
Nooit meer slank. Nu iets dikker
Niet meer bang voor spinnen
Toen de wereld jong was
Memoires van een dame uit de goot van het amusement
Naar het zuiden!
Het bloed kruipt
Te laat voor de lobelia's
Vertigo
Zout
Rijk!
Boek voor Belle
Het schreien niet verleerd

en de kinderboeken:
Berend's binnenwereld
Mevrouw van Soest en het kleine volkje
Gijs
Tijger in de tuin
Geesje Zoet

Marjan Berk

Ik neem toch een hond

Uitgeverij Atlas
Amsterdam/Antwerpen

Omslagontwerp: Roald Triebels, Amsterdam
Omslagillustratie: Valentine Thomas Garland, Cardogan Gallery, London/Bridgeman Art Library
Auteursfoto: Hester Doove

ISBN 978 90 450 6777 3
D/2011/0108/509
NUR 301

www.uitgeverijatlas.nl

Opgedragen aan de nagedachtenis van Brammetje,
Bep, Chip en de onvergetelijke waakhond Bertus

en als je wakker wordt, Babouschka,
ben ik het, die bij de mand
mijn hand door je haren haalt,
ben ik het allemaal, ben ik het

Ruben van Gogh

Old age wasn't for sissies. Old age wasn't for old people. To cope with old age, you really needed to be young – young, strong and in peak condition, exceptionally supple and with good reflexes. Your character, too, should be of no common stamp, but should blend the fearlessness of youth with age-old tenacity and grit.

Martin Amis – *The Pregnant Widow*

'Lopen! En je bek houden!'

Lena voelde iets hards tegen haar rug, door haar regenjas heen. Van schrik stopte ze.

'Dóórlopen!'

Ze liep door.

'Daar. Daar in de muur.'

Natuurlijk. Ze was op weg naar de Rabobank. Daar kon ze meer pinnen dan de obligate tweehonderdvijftig euro bij de andere pinautomaten.

'Nou pinnen. Vijfhonderd. Vooruit!'

Bibberend schoof ze het kaartje in de gleuf. Toetste de pincode in. De man boog zich over haar schouder om haar pincode af te kijken. Ze rook knoflook.

'Goed zo. Vijf acht acht zes. Vijf acht acht zes. Vijf acht acht zes.'

Het kaartje kwam terug. Het geld kwam met zacht geklepper uit de muur.

'Hier dat kaartje. Vijf acht acht zes. Vijf acht acht zes. En het geld.'

Ze durfde niet om te kijken, half over haar schouder gaf ze alles af.

'Je wacht honderd tellen. Doe maar net of je nog meer moet pinnen.'

Zo stond ze daar, in het donker, half gebukt voor het pinapparaat. Ze hoorde hem weglopen, met korte, driftige stappen. Ze telde. Als een kind dat verstoppertje speelt: 'Eenendertig. Tweeëndertig... Negenentachtig. Negentig.'

Bij honderd durfde ze eindelijk op te kijken. Geen mens te bekennen. De straat lag verlaten, vochtig glimmend van de motregen.

Ze liep naar haar auto, voelde de sleutelbos in de zak van haar regenjas. Werktuiglijk stapte ze in, startte en reed terug naar het dorp.

Sindsdien was ze bang. Ze schoof haar bed dicht onder de ramen, die uitkeken op haar voortuin met het hekje. Zo kon ze 's nachts horen of iemand probeerde de schuif te openen om de tuin binnen te dringen.

Haar nachtleven werd onrustig, altijd de oren gespitst, voortdurend alert op geluid van indringers.

Kinderen en bezoekers keken bevreemd. 'Waarom heb jij je bed daar voor het raam gezet?'

'Dan hoor ik het hekje!'

'Het hekje?'

'Ik hoor de schuif.'

'Ben je bang? Zit je hier 's nachts een beetje bang te luisteren of er iemand de tuin binnenkomt?'

Ze schudde met half dichtgeknepen ogen haar hoofd, deed of het een goeie grap was. 'Bang? Hoe kom je erbij!'

Maar als het donker werd, de rolgordijnen naar beneden, het laatste nieuws op de televisie voorbij, de stilte viel, dan lag ze met schoongemaakt gezicht, tanden gepoetst, in bed gespannen als een veer, bij het minste verdachte geluid overeind schietend.

Hoorde ze wat?

De kaars op de schoorsteenmantel flikkerde. De kaars brandde de hele nacht, als een baken.

'Je neemt geen hond meer, hoor! Dan ben je je vrijheid kwijt. Moeten wij weer op hem passen. Niet doen!'

Maar toen ze Karel nog had, was ze nooit bang. De kleine teckel met de blaf van een bouvier gaf haar een groot gevoel van veiligheid. Hij klonk zelfs op haar antwoordapparaat, als waarschuwing voor iedereen met kwaad in de zin. Toen tijdens haar afwezigheid een controleur van de hondenbelasting had aangebeld en Karel zo'n geweldig blafmisbaar had gemaakt, had de man haar voor twee honden aangeslagen. Het had nog moeite genoeg gekost te bewijzen dat ze haar leven met maar één hond deelde.

Bijna zeventien jaar was hij geworden. Omdat Lena voor haar werk veel weg was, moest ze Karel onderbrengen bij vrienden, buren, kinderen, kennissen. Toen hij jong was, vond hij dat best. Hij was populair bij iedereen. Maar toen hij oud werd, vond hij dat ambulante hondenbestaan niet leuk meer. Hij keek vaak verwijtend, wanneer ze hem weer eens hier of daar dropte. God, wat kon hij hartverscheurend verwijtend kijken, geen hond was zo expressief als haar Karel!

Maar nu ze zelf oud werd, echt oud, met een haperende heup, versleten wervels, artroseknobbels op haar handen, bedierf de gedachte dat een hond vier keer per dag moest worden uitgelaten en, wanneer ze op reis was, weer ergens moest worden ondergebracht, haar verlangen naar zulk goed gezelschap. Er waren te veel praktische bezwaren.

Een week later moest ze een verkeerd bezorgde brief bij haar naaste buurvrouw brengen.

'Koffie, Lena?'

Haar buurvrouw schonk koffie, heerlijke koffie, heel wat beter dan het vocht uit haar gemakzuchtige Senseo-apparaat.

'Heb je gehoord hoe ze in Wolvega in het bejaardenhuis een oude vrouw hebben beroofd?'

Lena had het gehoord. Uit onderzoek bleek dat er gemiddeld elke dag één bejaarde werd gemolesteerd. Ze drongen zelfs verzorgings- en bejaardenhuizen binnen om weerloze oudjes te knevelen en beroven.

De buurvrouw hield haar een schaal met bitterkoekjes voor. 'Ik heb zelfs overwogen toch maar weer een hond te nemen. Maar de kinderen vinden dat een slecht idee. Het is natuurlijk ook een slecht idee. Ze mogen hier niet meer loslopen, dus dan moet je ze bij nacht en ontij weer uitlaten.'

Lena knikte.

'Maar wanneer ik 's nachts in bed lig, met het raam open, dan denk ik steeds: Ze kunnen zo naar binnen klimmen! Er is niets dat ze tegenhoudt!'

'Er is niets dat ze tegenhoudt.'

'Behalve een hond.'

'Behalve een hond.'

Lena vertelde maar niet dat ze zelf was beroofd. Gewoon, in de stad, bij de pinautomaat. En hoewel ze de volgende dag ogenblikkelijk aangifte had gedaan, was er toch behalve de vijfhonderd euro die ze die avond had moeten afstaan, vijfduizend euro van haar rekening gehaald. In Bulgarije. In vijf dagen, iedere dag duizend euro.

De buurvrouw schonk nog eens bij.

'Wij zijn target, Lena! Ze hebben het op ons gemunt!'

De mist was zo dik dat Lena onzeker het smalle pad langs het water volgde. Alleen bij de bruggen had ze iets meer zicht door het bleke lantarenschijnsel. Voorzichtig liep ze voort, op weg naar huis. Ze had iets te veel Spätburgunder op.

Ze hikte. Lies had maar bijgeschonken, zich niets van haar protest aangetrokken.

'Lekker hè?' Ze schepte nog een flinke lepel andijviestamppot op, ''t moet op.'

Mild door de wijn at Lena haar bord leeg.

'Heb je gehoord dat ze de kleine buurtsuper hebben overvallen? Ze zijn niet ver gekomen. Jan Vledder heeft ze er met de bezem uit gejaagd. Maar toch, het komt wel dichterbij. In onze contreien gebeurde dit soort dingen nooit!'

Lena zweeg.

'Ik denk toch na over een alarm. Hoewel, voordat de politie hier is, hebben ze je al koud gemaakt!' Lies schonk koffie in de koppen. 'Jij had vroeger toch een hond? Die ging altijd tekeer als een gek. Zelfs als ik gewoon langs je huis liep, sloeg ie aan!'

'Kareltje,' zuchtte Lena. 'Met Karel voelde ik me volmaakt veilig. Maar ik wil geen hond meer die mij overleeft. En met dat ambulante leven van mij zou ik hem voortdurend moeten uitbesteden. Daar ben ik gewoon te oud voor.'

Lies haalde haar schouders op. 'Je kunt hem altijd bij mij brengen.'

'Daar word jij ook te oud voor,' zei Lena somber.

'Je zet je hond gewoon in je testament,' opperde Lies.

'Ze zien me aankomen! Kom, ik ga ervandoor.' Lena stond op, schoot in haar jas. 'Dankjewel, ik heb heerlijk gegeten. Kom je volgende week bij mij?' Ze kuste Lies, die met haar meeliep naar de deur.

'Jezus, wat een mist! Kijk je uit?' Ze hielp Lena de paar treden bij de voordeur af, gaf haar een arm tot het tuinhek. 'Je ziet werkelijk geen hand voor ogen. Loop niet in het water!'

Lena naderde de derde brug. Ze schrok zich lam, toen er vlak vóór haar een grote man uit de mist opdoemde. Ze stopte abrupt.

'Goedenavond,' sprak de man. Hij nam zijn hoed af.

'Pardon,' zei Lena. 'Wat brengt u hier op dit uur op het pad?'

'Ik maak een ommetje,' zei de vent.

''n Ommetje.' Hoewel haar hart versneld klopte, moest ze grinniken. 'Je kunt hier helemaal geen ommetje lopen. Alleen maar op en neer. Of heen en weer. Een ommetje duurt precies een uur en een kwartier.'

'Oké,' sprak de man. 'Ik loop op en neer. Ik logeer bij de grote brug. En u?'

'Ik woon hier.' Terwijl ze dit zei dacht ze: Stom. Weet jij wat die vent hier uitvreet.

'Ik overweeg hier een huis te kopen,' zei de man.

'Zozo.' Lena wilde naar huis. Dit was een raar gesprek, om elf uur 's avonds in dikke mist, met een vent met een hoed.

'Komt u eens een kopje koffie drinken,' zei de man, 'Ik zit hier nog de hele maand.'

'Misschien,' – Lena wilde hem passeren – 'maar ik heb het erg druk.'

'Mijn naam is Tom Vreede.' Hij stak zijn hand uit, waarbij hij zijn handschoen uittrok.

'Lena Steketee.' Lena stak hem haar wollen want toe. 'Maar nu ga ik verder.'

Ze schoot hem haastig voorbij, verder de mist in, naar huis.

Zenuwachtig hanneste ze met haar sleutelbos en nog steeds met overslaand hart deed ze deur achter zich op slot.

Veilig teruggetrokken binnen haar eigen vesting, rolgordijnen naar beneden, het vuur in de haard van nieuw leven voorzien, verse kruik aan het voeteneind en haar hartslag teruggebracht tot normaal ritme, zakte Lena op de rand van haar bed.

Hond, dacht ze, een hond. Dan zou ze zich niet zo opgefokt hebben gevoeld na zo'n onverwachte ontmoeting op het pad. Een hond zou enthousiast blaffend om de man hebben gesprongen, zich ervan vergewissend dat hij geen kwaad in de zin had, en zo wel, ogenblikkelijk in zijn broekspijpen zijn gaan hangen.

Ze zou hem tot kalmte hebben gemaand en na dat korte praatje ontspannen haar weg hebben vervolgd, zich hooguit hebben verbaasd over de man met hoed op het pad, op dat uur.

'Kareltje.'

Hoe ze met hem danste. Zodra ze de cd van Pat Metheny draaide, nee, niet die met de langzame muzikale elegieën vol dromerige akkoorden, maar een swingend nummer, kwam hij uit zijn mand, kwispelend.

'Waf.' Hij keek dan naar haar op. 'Waf!'

Ze danste met kleine swingende stappen, terwijl

Karel begon te springen, ritmisch, ze voerde het tempo op, volgde met haar stappen de dwingende baslijn, Karel ook, tot het één grote vrolijke explosie van dans-blafplezier werd.

'Wafwafwaf.' Dan zakte Lena uitgeput op een stoel, ving Karel in haar armen en ze knuffelden elkaar hartstochtelijk. Karel probeerde haar in het gezicht te likken en zij belette hem dat door zijn lange zijden oren omhoog te trekken.

Wat kon ze met hem lachen. Ja, lachen, zeker, Karel kon schateren! Haar schichtige hart werd verwarmd door de herinnering aan haar vrolijke teckel. Ze sliep in en droomde van een nest jonge *black and tan* hondjes, die allemaal tegelijk op haar schoot wilden kruipen.

Midden in de nacht – haar horloge wees halfvier – schrok ze wakker. Ze schoot overeind, haar oren gespitst. Maar de stilte was diep. Alleen een slaperige eend kwaakte even. Meer niet. Niks.

Geen onraad, dacht Lena, strekte zich uit en sliep verder.

Het had jaren geduurd voordat Lena zich in dit huis 's avonds en 's nachts veilig voelde. Ze had het moeten veroveren. In het begin voerde ze allerlei kinderlijke rituelen uit, zoals onder het bed kijken, de rolgordijnen neerlaten voordat ze het licht aanstak, controleren of de buitendeur écht op slot zat, en zodra het donker werd geen stap meer in het achterhuis zetten... Daar kon iedereen door de ramen zonder gordijnen naar binnen kijken en had ze 's avonds altijd het gevoel bespioneerd te worden.

Wanneer ze 's avonds laat thuiskwam, moest ze zichzelf dwingen het vanaf de brug niet op een rennen te zetten. Onder de lantaren pakte ze vast de huissleutel, zodat ze voor haar deur aangekomen niet in het donker in haar tas hoefde te zoeken.

In de beginjaren lag ze 's nachts nogal eens verkrampt in bed te luisteren. Het huis was zo oud dat het allerlei geheimzinnige geluiden voortbracht. Vogels, muizen, er leefde van alles in de dakgoot en onder de pannen. Ze schrok zich dood van de dikke spinnen die zich plotseling van het plafond naar beneden lieten zakken. Soms zat ze wel een uur naar een spin te kijken, voor ze besloot zich niets meer van het beest aan te trekken. En de grootste schrik bezorgde haar een rennende zwarte spin die op een avond onverwachts vlak voor haar voeten de kamer overstak. Later las ze dat renspinnen mannetjes waren op zoek naar een vrouwtje. Langzaam maar zeker raakte Lena gewend aan het gekrioel in en om haar huis. Haar schrikachtigheid verminderde; spinnen aten de muggen en luiwagens de pissebedden, ze hadden het niet op haar voorzien.

Ze bewonderde Lies, die verderop woonde, en die bij volle maan midden in de nacht in haar boot een stukje ging roeien om daar de volgende dag lyrisch verslag van te doen.

Toch kende ook Lies angst. Op een winderige avond had ze Lena opgebiecht dat ze niets moest hebben van storm. Als de wind aanwakkerde sloot ze deuren en ramen en verschanste ze zich in haar huis.

Maar na jaren was Lena met het huis vergroeid. Ze bewoog zich 's avonds en 's nachts onbekommerd door de kamers en de keuken, zonder zich bespied te wanen.

En nu zou de angst voor kwaadwillende indringers die het gemunt hadden op alleen wonende oude vrouwen haar gemoedsrust gaan verstoren? Was die angst reëel? En hoe zou ze zich hiertegen wapenen?

'Laat me erdóór! Uit de weg! Donder op! Laat me erdoor!'

Lena was zojuist begonnen de zaal vol gepensioneerden opbeurend toe te spreken, want na de speech van de directeur van het pensioenfonds was de stemming in de zaal bedrukt, ja, zelfs een beetje opstandig. Lena was ingehuurd om met wat lichtvoetige verhalen de middag tot een positief eind te brengen, haar inzet was goed en de grijze hoofden in de zaal ontspanden bij haar relativerende toon.

Maar nu klonken er uit de coulissen toch zulke onheilspellende geluiden dat ze van achter haar katheder opzij keek, naar de oorsprong van het kabaal. Er stormde een man het toneel op, hij keek zoekend rond en vloog toen op Lena af.

'Weg! Die vrouw moet weg. Die vrouw heeft niets met onze pensioenen te maken. Weg! Weg! Weg! Opsodemieteren!'

Heel even stond Lena verstomd. Toen voelde ze woedende razernij opkomen. Ze vloog op de lawaaischopper af, duwde hem met beide handen achteruit, brullend: 'Weg jij! Weg! Weg! Opzouten! Ik ben heel goed in karate!'

Ter illustratie hief ze haar rechtervuist, klaar voor een slag.

Verbijsterd keek de vent haar aan. Een toneelknecht schoot te hulp en verwijderde de opgewonden man.

De zaal, ruim vijfhonderd man, reageerde met een donderend applaus.

Verbaasd over haar eigen agressieve reactie hernam Lena zich en hervatte haar lezing. Ze was geen seconde bang geweest, alleen maar intens kwaad dat iemand haar bij haar werk stoorde.

Het incident droeg er wel toe bij dat het publiek buitengewoon welwillend naar haar luisterde. Na afloop verkocht ze moeiteloos een enorme stapel boeken met columns.

'U heeft dat zeker ingestudeerd,' merkte een chagrijnige oude man op, 'het was een prachtig toneelstukje. Sterk verkoopbevorderend. Héél goed gedaan!'

Lena trok haar wenkbrauwen hoog op, terwijl ze de gepensioneerde streng aankeek. 'Natuurlijk, meneer. Dat doen we overal bij aanvang van mijn lezing. Dat heeft u goed gezien.'

Maar de directie van het pensioenfonds nam het voorval serieus. Bij de volgende bijeenkomst kwam er een keurige man in een bruin pak met uitgestoken hand op Lena af.

'Ik kom mij even voorstellen: Reinier Vreeswijk. Ik ben hier op uitnodiging van de organisatie om u te beveiligen tegen onverkwikkelijke incidenten, tegen mensen die u kwaad willen berokkenen.'

Stomverbaasd keek Lena de man aan. 'Maar ik hoef toch niet beveiligd te worden? Ik ben mans genoeg om...'

Reinier Vreeswijk viel haar in de rede. 'Mevrouw Steketee, het is geen overbodige luxe dat ik een oogje in het zeil houd. Door de negatieve ontwikkelingen bij de pensioenfondsen worden de mensen ontevreden. De agressie onder het publiek neemt toe. Vorige week is er iemand gestoken bij een vakbondsvergadering! En voor u het weet bent u target... reageren zij hun onvrede op u af!'

Target. Lena giechelde. De tweede keer binnen één week dat ze dat woord hoorde gebruiken.

'Waarom zegt u niet gewoon "doelwit?"'

'Ach mevrouw Steketee, het is jargon. We gaan met onze tijd mee. Target ligt ook veel lekkerder in de mond. Beter dan doelwit, dat doet zo aan een schietschijf denken!'

'En,' – Lena werd nieuwsgierig – 'waaruit bestaat uw expertise?'

'Ik observeer. Ik sta achteloos bij de entree, waar het publiek binnenkomt. Ik let op. Wanneer ik ook maar iets afwijkends ontdek, ben ik alert.'

'Maar,' Lena's nieuwsgierigheid naar de vakkennis van de beveiliger groeide. Dat je van oplettendheid je beroep kon maken! 'Waar heeft u dat geleerd?'

'Bij de politie. En nog later bij de marechaussee. Ik heb bovendien een aantal bekende families beveiligd. Ik kan helaas geen namen noemen.'

'Hè, jammer.'
'Discretie, mevrouw Steketee. Discretie.'
Daar moest ze het mee doen.

'JONGEN (13) RANDT 91-JARIGE VROUW AAN'
'Een 13-jarige jongen heeft vorige week geprobeerd een 91-jarige vrouw te verkrachten in haar woning in een Amsterdams verzorgingstehuis. De jongen greep haar vast, sleurde haar naar het bed, zei dat hij haar zou doodschieten, scheurde haar kleding en poogde haar te verkrachten. Dat mislukte, maar het slachtoffer, dat zich hevig verzette, liep wel verwondingen op. Zij voelde zich bovendien onteerd en vies.'

Lena's koffie was koud geworden. Ze liet de krant zakken. Een knul van dertien. De wereld werd een grimmig rariteitenkabinet. Ze dacht aan haar kleinzoons, de oudste van de vier was eenentwintig, de jongste twaalf.

'Het slachtoffer had de jongen nog een blikje Fanta aangeboden. Vlak daarna greep hij haar bij haar middel...'

Er werd gebeld. Lena keek op haar horloge: kwart voor tien. Wie kon er op dit uur nog langskomen? Ze stond op, trok haar kamerjas dichter om zich heen en slofte naar de voordeur.

'Wie is daar?' riep ze.

'Eva.' Een meisjesstem. Dat klonk onschuldig.

Lena deed de deur van het slot en opende hem op een kier.

Een lange meid, om haar hals een koord met daaraan een kaartje, dat ze probeerde onder Lena's neus te duwen bij wijze van legitimatie.

'Ik kom voor een bevolkingsonderzoek. Mag ik u even een paar vragen stellen?' Zonder antwoord af te wachten zette ze een voet op de drempel, klaar om binnen te stappen.

'Daar heb ik nu geen tijd voor!' Lena duwde met kracht de voet weg van de drempel en sloot met een harde klap de deur. Ogenblikkelijk schoof ze de veiligheidshaken ervoor, bleef met overslaand hart luisteren of er aan de andere kant van de deur nog protest klonk. Zeker vijf minuten stond ze zo en probeerde door diep ademhalen haar hart weer in het gareel te krijgen.

God weet waar ze aan was ontsnapt. Misschien hadden er bij het hek wel een paar kerels gestaan, was Eva met die rotsmoes vooruitgegaan, als wegbereider voor een gemene overval.

Want een rotsmoes was het. Om kwart voor tien 's avonds worden er geen bevolkingsonderzoeken gedaan.

Moest ze nu de politie bellen? Maar wat moest ze zeggen? Er was toch verder niets gebeurd, er viel toch niets te bewijzen?

Meer dan ooit verlangde Lena naar een beschermer, een sterke vent, een grote hond, een felle teckel... meneer Vreeswijk... Maar die beschermde haar uitsluitend tijdens de lezingen voor het pensioenfonds.

Als een angstig kind kroop ze diep onder het dekbed, maar de spanning wilde niet wijken. Pas na lang verkrampt piekeren raakte ze slaperig. Er schoot haar een verhaal van een nicht te binnen. Een verhaal van jaren geleden waaruit bleek dat het verkrachten van oude vrouwen van alle tijden was.

Morgen word ik geopereerd. Nu kan ik niet slapen. De rustige ademhaling van de jonge vrouw in het andere bed stoort me. Ik denk aan morgen. Tien voor negen, dan gaat het mes erin.
Ik sluit mijn ogen, probeer me te ontspannen op de manier die de fysiotherapeut me heeft geleerd. Je zwaar maken, alle ledematen loodzwaar maken, als het ware door de matras laten zakken...
Op de binnenkant van mijn gesloten oogleden verschijnt een plaatje. Een rimpelloze blauwe zee, aan de horizon een groot passagiersschip, een stoomboot. Op de voorgrond een hand met een stuk arm, die uit zee oprijst. Die prent hing vroeger ingelijst boven het logeerbed bij mijn grootmoeder. 'Help...!' riep die hand, maar niemand zag of hoorde het.
Toch, dacht ik als kind, moet er iemand in een bootje dichtbij zijn geweest, om het allemaal te tekenen! Dat stelde me gerust. Na het tekenen van het plaatje zou

de tekenaar de hand hebben gepakt en de drenkeling aan boord gehesen.
Als ik dat allemaal had uitgedacht, viel ik altijd in slaap.
Maar nu doe ik de hele nacht geen oog dicht. Als het licht wordt, doezel ik eindelijk weg.

De eerste injectie moet me suf maken. Ik word op een brancard getild, ik laat maar met me sollen.
Een lange gang, de lift, klapdeuren met zwarte letters, zonder bril kan ik niet lezen wat er staat. Een zware deur gaat open, de operatiekamer. Het lijkt een aquarium, iedereen is blauwgroen gekleed, petten op, ook blauwgroen. Vriendelijk gebabbel boven mijn hoofd, door de injectie heb ik totaal geen zenuwen.
Klets maar, denk ik nog, terwijl ik tot tien moet tellen, twee... drie...
Vier kan ik me niet meer herinneren.

Pijn?
Wat voel ik nu?
Ik open mijn ogen, schemer.
Langzaam komt mijn bewustzijn terug. De operatie. Ja.
Ik leef dus nog. Mooi zo.
Ik merk dat ik niet gewoon in bed lig. Ik zit vast aan draden. Aan buizen, of slangen.
Ach, ja natuurlijk, bloed. Na een zware operatie heb je bloed nodig. En fysiologisch water. Zout. Een

mens bestaat voor het grootste gedeelte uit water en zout. Natuurlijk.
Ik heb dorst... Maar mijn maag. Ik mag nu niet drinken. Vandaar die zak met water. Ja ja.
Ineens moet ik lachen, maar dat kan niet, dat doet pijn. Toch lacht het binnen in me gewoon door. Het verhaal van de vader van de werkster, die een kunstmatige uitgang kreeg. Na de operatie werd hij wakker, had gruwelijke dorst, vergat hoe het zat, pakte de bloemenvaas, smeet de bloemen eruit en dronk hem leeg. De man is gestorven.
Zo stom zal ik niet zijn.
Ik merk, nu mijn ogen aan de schemer wennen, dat ik niet op mijn eigen kamer lig. Ik lig alleen.
Zou ik om de zuster bellen?
Maar ik zie geen bel. Ik zou graag willen dat iemand mijn lippen, mijn mond bevochtigde, om de ergste dorst, het gevoel van uitdroging kwijt te raken. Ik probeer met mijn tong mijn lippen nat te maken. Mijn tong is van leer.
Dat kan me nog wat worden. Ik zal zeker de eerste dagen niet mogen drinken. Maar ik leef. Ook wat waard.
Gek dat er niemand komt kijken. Hoewel, in zo'n modern geoutilleerd ziekenhuis zie je bijna geen mens. Alles automatisch. Clean, dat wel. Ik zal ook wel aangesloten zijn op een waarschuwingssysteem. Voor als er iets misgaat. Ergens zit natuurlijk een zuster naast een toestel waarop je ziet hoe het met me gaat. En drinken mag ik toch niet,

dus waarom zou er iemand komen kijken?
O, toch...
De deur gaat open. Tegen de helder verlichte gang zie ik een menselijk silhouet.
'Zuster...?'
De zuster sluit behoedzaam de deur. De zuster?
Het is een man. Een broeder zeker. Tegenwoordig werken er op de vrouwenafdeling ook broeders. Wat zou het eigenlijk?
'Broeder...?'
De man komt dichterbij. Vreemd, hij draagt geen witte jas. De dokter misschien? Weggeroepen voor een spoedgeval en meteen even naar mij kijken, een operatiepatiënt?
De man slaat behoedzaam mijn dek op.
'Ik heb zo'n dorst!'
De man buigt zich over me heen, zijn gezicht komt heel dicht boven mijn gezicht. Hij steekt zijn tong uit en likt mijn lippen.
HIJ LIKT MIJN LIPPEN!
Een nieuwe methode voor operatiepatiënten. Bij mijn moeders bed stond altijd een kommetje met een wattenstokje in de borax, tegen droge mond. Dit is nieuw.
Hij likt mijn lippen, laat een beetje speeksel in mijn mond glijden.
Pas op, ik moet niet slikken!
Hij laat zijn tong nu ook naar binnen glijden.
Heel prettig, dat wel.
Nu voel ik ook zijn hand. Die wrikt zich tussen mijn dijen. Hij streelt me.

Of het komt door de nog niet uitgewerkte verdoving of door het volkomen onverwachte van de situatie, ik vind niets vreemd. Ik geniet. Ik geef me over. Ik maak me niet druk om de vraag of dit tot de gewone nazorg bij operatiepatiënten behoort of dat het misschien iets is wat alleen mij overkomt.

Strelen kan hij. Zo ken ik het niet. Ik streel alleen mezelf, en dat gaat vervelen als je ouder wordt. Dus ik streel mezelf steeds minder vaak. Nu klimt de man op mijn bed! Maar zo behoedzaam, zo voorzichtig, ik voel geen gewicht. Trouwens, dat zou ik nu ook niet kunnen hebben, zwaarte, op mijn verse wond.

De man hangt steunend op zijn armen boven mij. Voorzichtig manoeuvreert hij tussen de buizen en slangen door, hij laat zijn stijve penis in mij zakken. Heel langzaam, heel kalm beweegt hij zich in mij heen en weer.

Dit is een fantastisch ziekenhuis. Wat een nazorg.

Ik weet dat ik me niet moet bewegen, dat is slecht voor de wond. Maar tegelijkertijd is het genot bijna niet te verdragen, het heen en weer voelen glijden van zijn harde lid en het weten dat ik niet mag bewegen, terwijl mijn hele lichaam schreeuwt om mouvement. Het is een sensatie die mij bijna doet barsten.

Door op zijn handen, zijn armen te leunen beheerst de man de situatie volkomen. Hij brandt in me, gloeit, wrijft, en terwijl ik mijn hoogtepunt zo vloeiend mogelijk loslaat, stroomt hij in mij leeg. Ongekend.

Voorzichtig, zonder mij een haar te krenken, verheft

hij zich nu geheel, slaat zijn been terug, klimt van het bed. Daarbij trekt hij per ongeluk, natuurlijk per ongeluk, het infuus los.
Plotseling heeft hij haast... sjort zijn kleren goed, vliegt de kamer uit.
Hé zeg, wat doe je nou? Ik lig hier hulpeloos, je hebt mijn infuus losgetrokken, het bloed druppelt niet meer in mijn lichaam, het spet op de grond, 't duizelt me. Waarom is er geen bel voor de zuster... ik zak weg in een draaikolk... dorst ook... de stoomboot vaart van me weg, naar de horizon... ik voel me langzaam zinken, waar is het roeibootje van de tekenaar? Waarom steekt niemand een poot uit?

'Als ik achter ze zit, in de bus of de tram, en ik zie die nekjes, met zo'n spinnenweb van rimpels... en die magere beentjes, als lucifers in gerimpelde dikke bruine panty's...'

Hoe moest hij het duidelijk maken? Het begeerlijke vel van bejaarde dijen, dat onder de druk van je strelende duimen golvend rimpelt. Het perkamentachtige van oud vlees, leeg om botten geplooid, drooggevallen borsten met tepels, die toch weer hard worden onder je vingers... Skeletachtige schrale voeten in altijd te groot lijkende schoenen... Dit alles wond hem op, bracht hem in vervoering. Het verlangen om zo'n mooi oud broos popje te bezitten werd een obsessie.

'Die oudste twee, die konden niks terugdoen. Die ene was trouwens dement. En die andere, die was net geopereerd. Maar ik deed het erg voorzichtig...'

Toch heel wat gewend, schreef de advocaat met kippenvel alle bijzonderheden op. Mijn god, dat moest ie verdedigen! Drie oude vrouwen verkracht, in de leeftijden van tweeënzeventig, achtenzeventig en achtentachtig jaar.

Alleen de jongste had aangifte gedaan.

Bijna zeventien jaar was Kareltje, toen was het op. Hij werd blind, waardoor hij tegen stoel- en tafelpoten botste. Lena vermoedde dat hij ook doof werd. Wanneer ze zijn naam riep, keek hij op noch om. De dierenarts gaf hem af en toe een injectie die hem weer een beetje oppepte, maar dan keek hij Lena aan met een blik die verried dat hij er genoeg van kreeg.

Hoewel hij bij logeerpartijen zijn gastheren en -vrouwen altijd wist te vermurwen hem toegang tot hun warme bed te verschaffen, kreeg hij bij Lena geen kans. Hij probeerde het wel, nee... hij probeerde het altijd, maar ze ging hardvochtig voorbij aan die smekende blik met schuine kop. 'In je mand Karel!' riep ze stoer en dan droop hij af. Wel op schoot, dat was in orde, maar nooit in bed. Toen hij zo oud werd en moeilijk ging lopen, streek ze echter haar hand over haar hart, legde een kussentje op het voeteneind en zette hem daarop. Hij keek haar aan, begreep het niet: ging de vrouw nu haar eigen taboe doorbreken? Ze stelde hem gerust: 'Het is goed zo, ga maar lekker slapen', waarop hij zich met een diepe zucht uitstrekte.

Ze raadpleegde de dierenarts. 'Ik wil hem wel bij u thuis laten inslapen,' zei hij, en zo geschiedde. Een van Lena's zoons bij wie Karel geregeld logeerde en die hem goed kende, nam hem in zijn armen, de dokter gaf hem het spuitje en langzaam verliet Karel deze wereld. Lena snikte als een oud kind en bleef nog heel lang naast hem zitten. Wat hadden ze intens het leven gedeeld.

Een week na de begrafenis verraste haar zoon Lena met een ongelofelijk levensechte kunsthond, van ordinair hard plastic, maar zo sprekend gelijkend op Karel dat ze hem trots in de vensterbank zette. Ze was diep geschokt toen ze hem liet vallen en de plastic Karel in wel dertig stukken brak. Maar na een week afwezigheid bleek Karel uit de brokstukken verrezen.

'Ongelofelijk,' mompelde Lena, 'hoe is het mogelijk!'

De telefoon ging. Het was Plonia, haar hulp sinds jaren. Altijd kort van stof, nooit blijven hangen in gebabbel. 'Heb je 'm gevonden?'

Lena was stupéfait. Zou Plonia...

'Heb jij...?'

'Ach mens, ik had met je te doen. Dus ik heb hem voor je gelijmd. Het was een helse klus, maar je ziet er niks meer van.'

'Plonia. Wat knap! Nee... het is niet te zien, dat ie in zoveel stukken lag. Wat lief van je.'

''t Is wel goed. En nou niet meer laten vallen!'

Lena kreeg geen kans om nog enthousiaster haar dank te betuigen. Ze liet zich in een stoel zakken, de gelijmde Karel op schoot. Ze dacht na over Plonia, die haar al zo lang stofvrij hield.

Jarenlang bestond het contact tussen hen uit het uitwisselen van zakelijke mededelingen over een grote beurt, een kleine beurt, een beetje bijflodderen: 'Ik doe nu alleen de plee en het bad' en 'Dan zal ik ook de ramen zemen, maar dan moet jij wel een nieuwe zeem kopen.'

Plonia schreef haar bevindingen over de toestand van het huis op kleine geestige briefjes: 'Ik gaf er de pijp aan, het was me te warm' en: 'Ik heb het gehad, zo kan je wel weer verder leven!'

Ze was al jaren weduwe, en haar enige dochter was aan een rotziekte doodgegaan. Plonia was in staat heel precies haar gevoelens te verwoorden, zonder sentimentaliteit. Lena vond het indrukwekkend. Vol respect was ze als ze zag hoe Plonia in haar eentje haar leven voortzette, soppend, dweilend en ramen zemend voor een spaarcentje, dat dan vooral naar de opgroeiende kleinkinderen ging. Met groot strategisch inzicht hield ze in de gaten wanneer haar kleinzoons hun opleiding en studie voltooiden en geen tijd meer hadden om bij Lena het gras te maaien. Dan was er weer een kleinzoon, die door zijn voorganger werd opgeleid om Lena's gras kort te houden. Maar niet alleen kort, ook alle geheimen van de maaimachine, het doorsmeren en het juist afstellen van de maaihoogte werden overgedragen aan een nieuwe kleinzoon.

Bij vorst sloot ze de buitenkraan af en draaide de gaskachels hoger, zodat er nooit iets bevroor. Het was een niet-aflatende zorg van Plonia voor het welbevinden van Lena, haar huis, tuin en haar spullen.

En nu dan deze daad van liefde, het zorgvuldig en precies in elkaar lijmen van de kapot gevallen Kareltje. Lena kon het niet laten, ze moest het nóg eens zeggen. Ze belde Plonia. 'Ik kan je niet zeggen hoe lief ik het vind dat je mijn kapotte hondje hebt gelijmd. Het is een daad van liefde. Dankjewel!'

Ze belde Kees, een van haar beste vriendinnen. Met Kees wisselde ze regelmatig, bijna dagelijks, telefonisch ergernissen uit, ergernissen over het gedrag van kinderen en kleinkinderen, over de toenemende vergroving van hun beider leeflandschap, over onheuse bejegening in winkels en bij de dokter. Ergernissen die, zodra ze hardop werden uitgesproken, de eigenschap hadden te verbleken.

Kees was drie jaar weduwe, na een huwelijk van ruim vijftig jaar had ze afscheid moeten nemen van de man met wie ze het grootste deel van haar leven had gedeeld. Ze koesterde zijn graf, en ze onthaalde Lena na zo'n bezoek aan het kerkhof op levendige beschrijvingen van de graven van alle bekenden die naast, achter en voor Leonard hun laatste rustplaats hadden. Bovendien schenen de nabestaanden regelmatig op de laatste rustplaatsen van hun geliefden te picknicken of te borrelen. Als Lena afging op deze waarnemingen werd daar op de begraafplaats het sociale leven van Amsterdam Oud-Zuid na de dood gewoon voortgezet.

De laatste maanden nam de frequentie van deze bezoeken langzaam maar zeker af. Ook de intense rouw verzachtte. Lena had Kees op een ochtend aangetroffen met een jolige vuurrode muts op haar hoofd, een muts die overduidelijk het signaal afgaf: 'Mijn leven gaat weer verder!'

Het leek het juiste ogenblik Kees mee te vragen voor een korte vakantie naar Bretagne. Ze wist dat het even doorbijten zou worden, Kees reageerde in eerste instantie op alle verzoeken om samen dit of dat te ondernemen met een krachtig: 'Nee!' Maar Lena was deze keer vastbesloten net zolang tegen dat neergelaten brandscherm van afwijzing te trommelen tot Kees haar weerstand zou laten varen en eindelijk zou toestemmen in een gezamenlijk hedonistisch tripje naar het unieke ouderwetse hotel aan de zuidkust van Bretagne.

'We hebben iets te vieren: je wordt vijfenzeventig.'

Tot Lena's stomme verbazing zei Kees gewoon Ja! Een gevoel van wild plezier nam van Lena bezit. Beter reisgezelschap kon ze zich niet wensen. Met Kees kon je ongegeneerd lol trappen, de toonsoort waarin hun beider leven zich afspeelde kwam vaak overeen en bij verschil van mening gaven ze elkaar genereus de ruimte.

Dankzij Lena's jongste zoon begon de reis licht en moeiteloos. Hij zorgde dat ze zonder een pink te heffen, de koffers veilig in de bagageruimte, op de gereserveerde plaatsen in de Thalys terechtkwamen. Lena schurkte zich behaaglijk in de stoel bij het raam, tegenover Kees. Allebei vielen ze vanwege het vroege uur in slaap zodat ze totaal ontspannen in Parijs arriveerden.

Het enige werkelijke probleem was hoe de zware koffers uit de trein te manoeuvreren. Toen de contouren van de banlieue van Parijs in zicht kwamen, speurde Lena al naar een krachtig uitziende, niet te oude heer die ze kon aanschieten met de vraag of hij hun twee koffers even uit de trein wilde tillen. Omdat het maandag was, het vakantieseizoen nog lang niet aangebroken en de Thalys vooral bevolkt met zakenmannen, leverde dat geen probleem op. Eenmaal op het perron reden de moderne koffers op vier wielen met een lichte handbeweging moeiteloos voort. Geroutineerd had Lena in de trein al een taxi besteld, gewend als ze was voor haar werk alleen door de wereld te reizen. Een chagrijnige taxichauffeur reed hen door Parijs naar Gare Montparnasse voor de overstap op de TGV naar Bretagne. Alles verliep gesmeerd, ook stond er een krachtige Franse heer paraat om de koffers in de trein te hijsen.

Verrukt wees Lena naar het landschap, dat ze zo goed kende van alle jaren vakantie vieren met haar gezin, altijd weer naar Bretagne, haar heimweelandschap.

Anger, Nantes, St. Nazaire... het volgende station was La Baule-Escoublac, de grote badplaats. Even voorbij St. Nazaire begonnen de passagiers, belust op rust en de voordelige hotelprijzen van het voorseizoen, zich op te maken de trein zo dadelijk te verlaten. Ook Lena en Kees zochten hun spullen bij elkaar en zetten zich schrap om bij het volgende station snel uit te stappen.

'Hij stopt altijd heel kort, je moet echt alert zijn en vlug uitstappen!' waarschuwde Lena.

Ineens viel het haar op dat er voornamelijk oude en zeer oude passagiers in de trein zaten, die zich nu en masse naar het uitstapportaal begaven: strompelend, hinkend, met trillende armen en aarzelende voeten, soms gesteund door de arm van een iets sterkere partner, moeizaam steunstokken en opgeklapte rollators uit de bagageruimte trekkend verzamelde zich de kudde bij de uitgang. De automatische deur naar de coupé sloot zich voortdurend, af en toe een bejaarde klem zettend.

De trein minderde vaart, 'La Baule-Escoublac,' riep de conducteur, de trein stopte en toen ontwikkelde zich een brechtiaanse scène van duwende, trekkende en naar buiten tuimelende oudjes. Lena keek Kees aan: 'Ik voel me hierbij zo jong!' fluisterde ze. Door het voortvarend opdringen van hun medereizigers waren ze de laatste passagiers die de trein verlieten. Er was ook geen sterke Franse kerel te bekennen die hun koffers uit de trein kon tillen, zodat Kees maar op het perron ging staan en Lena de valiezen zenuwachtig naar buiten wierp. Langzaam liepen ze met hun rollende koffers naar de uitgang. Daar stond de klont wankele oudjes bij elkaar op de stoep, hopend op een bus, een taxi, een vervoermiddel.

Lena zag het aan en nam een besluit. 'Ik bel het hotel!'

'Ah! Madame Steketee! Le taxi vient bientôt!' Patrick herkende haar stem, wat Lena een gevoel van thuiskomen gaf.

'Bonjour madame,' begroette de chauffeur, de man die al jarenlang het vervoer tussen hotel en station regelde. 'Jaja, ik ken u. Ik heb u ook wel eens van het vliegveld in Nantes gehaald!'

Ieder jaar weer herkende Jean le Deux Lena. En ieder jaar koppelde hij die kennis aan ritten die ze nooit met hem had gemaakt. Ze liet het maar zo, voor de gezelligheid.

De begroeting in het hotel was hartverwarmend, de conciërge kende haar écht sinds 1982, van alle vakanties, ook die ze nog met haar echtgenoot hier had doorgebracht.

Kees betrok zielstevreden haar kamer. 'Helemaal naar mijn zin!'

Het werd een week van zwemmen, langs het strand lopen, eten, drinken, lezen, kletsen. Op Lena's kamer, op het grote tweepersoonsbed, keken ze eendrachtig naar het wereldkampioenschap voetballen op de televisie, zagen de smadelijke afgang en het schandaal van het Franse team, waarbij die grote vent de trainer uitschold voor 'fils d'une putain'.

Kees, wier man een schilder was geweest, las bij

voorkeur biografieën van vrouwen en minnaressen van beroemde kunstenaars, afgewisseld met onbenullige pulpromannetjes. Lena was voor de zoveelste keer aan Proust begonnen, ze kwam al jarenlang nooit verder dan de passage waarin de grootmoeder een rondje om de kerk liep. Dan was de vakantie weer voorbij en wachtte Proust op de volgende vakantie.

Op een avond liepen de vriendinnen langs het lege strand, mijmerend, stil, de week was bijna voorbij.

Plotseling kwam er een verwilderde oude vrouw op hen afstormen, het acajou geverfde haar piekte om haar zorgelijk hoofd.

'Mesdames! Ik moet u waarschuwen! Een enge man maakt de omgeving onveilig! Zojuist heeft hij een vrouw, die in een stille baai lag te zonnebaden, bedreigd, met een groot mes! Ze is gillend weggelopen. Hij heeft ook al in een appartement ingebroken. Past u op, kijkt u uit. Het is een donkere vent, vol tatoeages! En hij heeft een mes! Kijkt u uit! Kijkt u uit!'

Na deze indringende waarschuwing rende ze verder. Kees en Lena zagen hoe ze op weg was haar boodschap verder uit te dragen.

'Ben jij wel eens bang?' vroeg Kees.

'Ja. Ik ben vaak bang. Vooral 's nachts in mijn huis. Ik heb mijn bed onder het raam gezet. Dan hoor ik aan de schuif van het hek of er iemand de tuin in komt. Soms schrik ik midden in de nacht wakker, luister, zit rechtop, verstijfd van schrik.'

'O,' zei Kees. 'Wat ellendig.'

'En jij?' vroeg Lena.

Kees aarzelde. Zou ze Lena vertellen dat ze altijd 's avonds een grote zware stoel voor de voordeur schoof wanneer ze wist dat haar benedenbuurman met vakantie was en zijn huis leegstond?

Nee. Ze hield het voor zich.

'Kom, laten we wat gaan drinken,' zei ze, daarmee Lena's vraag negerend.

Maar toen ze de laatste avond nog eens in haar eentje langs de kleine boulevard liep om een luchtje te scheppen, zag ze een vreemde vent die zich verdacht gedroeg. Hij stond daar, staarde naar haar, en verschool zich toen achter een bosje. Kees schrok hevig. Alsof ze werd achternagezeten zette ze het op een lopen, terug naar het hotel.

Hijgend kwam ze Lena's kamer binnen.

'Wat is er met jou aan de hand?'

'Een vent. Een griezel. Héél verdacht. Ik ben heel hard weggelopen!'

Na de week in Bretagne vertrokken de vriendinnen naar Parijs.

Al jarenlang was het Lena's gewoonte na haar strandvakantie nog twee dagen naar het vertrouwde hotel in de rue Blaise Desgoffe op de linkeroever van de hoofdstad te gaan. Dit hotel had sinds de dagen dat ze nog per auto met vakantie ging, haar voorkeur vanwege de garage, een rariteit in Parijs. Bovendien had Kathleen Mansfield, een van Lena's oude favorieten, er in de jaren twintig een tijd gewoond. Ieder jaar weer vroeg Lena zich af of ze dan nu misschien in een kamer sliep waar Kathleen eens had geleefd. Ook Samuel Beckett had in dit hotel domicilie gehouden, maar met deze schrijver had Lena minder affiniteit.

De vriendinnen betrokken weer twee aan elkaar grenzende kamers en de koffers waren maar nauwelijks geopend of ze trokken de stad in. Ze liepen de rue de Rennes af, richting boulevard Saint-Germain, waar ze thee dronken bij Les Deux Magots. Kees nam een croque-monsieur en Lena een citroentaartje.

'We gaan morgen ook naar het museum,' sprak Lena plechtig.

Ze voerde op dit jaarlijkse tripje een aantal rituelen uit, rituelen die stamden uit gelukkiger tijden, toen ze met haar echtgenoot ook altijd deze dingen deed. En om haar opwellende kooplust te legitimeren moest ze er toch op zijn minst een bezoek aan een tentoonstelling tegenoverstellen.

Na de thee bezochten ze La Hune en L'Ecume des Pages, twee boekwinkels waar Lena ieder jaar weer een paar boeken kocht, waarin ze nooit verder kwam dan de eerste tien bladzijden.

'Kijk!' riep ze verrukt naar Kees, 'de nieuwe Modiano!' Ze bladerde enthousiast in *L'Horizon*, misschien dat ze met het woordenboek erbij in staat zou zijn dit boek tot het eind te lezen. En hier: *Inédit*, nog niet eerder gepubliceerde korte stukken van Colette, een van haar lievelingsschrijfsters. Op het eerste gezicht moest dit wel makkelijk te lezen zijn.

Maar de echte jacht werd pas geopend toen ze op de boulevard Saint-Germain met Kees in haar kielzog de boetiek van Sonia Rykiel binnenstapte.

'Madame Steketee! Vous êtes maigrie!'

Noëlle, de kleine vendeuse bij wie ze ieder jaar het nieuwe mantelpakje kocht met het alibi dat ze het nodig had voor het optreden met haar lezingen, was oprecht verbaasd.

'Maigrie!' Inderdaad had Lena het gepresteerd een jaar lang genoegen te nemen met drie maaltijden per dag, meer niet, geen koekjes, geen chocola, en ziedaar: ze kreeg complimenten voor de vijf verloren kilo's! Zelfs hier, in Parijs!

Noëlle sleepte stapels kleren aan. Geassisteerd door Kees trok Lena het ene na het andere mantelpak aan, tot ze besloot een keurig complet aan te schaffen, het zoveelste in- en inkeurige pakje thuis in de kast. 'Werkkleding,' verontschuldigde ze zich bij Kees.

Terwijl ze afrekende en het adres opgaf waar het nieuwe pak moest worden bezorgd, haalde ze een envelop uit haar tas.

'Moet je zien, Kees. Hiernaast is die nieuwe winkel van Ralph Lauren geopend. Vier verdiepingen! Sarkozy heeft hem hiervoor het Légion d'honneur gegeven. Kijk! Deze tas, die wil ik.' Lena viste een foto uit de envelop.

Kees keek naar een gigantische blauwe schoudertas. Van reptiel.

'Gut,' zei ze, 'en die hebben ze daar?'

'Ja,' zei Lena met ingehouden opwinding. 'Ik kreeg die folder thuis, van de Ralph Laurenwinkel in Amsterdam. Maar daar kunnen ze hem niet bestellen. En ik dróóm van die tas!'

Ze namen afscheid van Noëlle. 'À l'année prochaine, madame.'

'Op naar Ralph Lauren!' riep Lena.

Zo gingen ze op weg naar de nieuwe klerenwinkel op de boulevard.

'Het is de hit van Parijs,' fluisterde Lena, terwijl ze er binnenstapten, 'dat las ik vanochtend nog in de *France Soir*!'

Het wás indrukwekkend. Ze dwaalden van verdieping naar verdieping in de immense klerenwinkel, die was ingericht naar Amerikaans idee van Parijse chic. Weelderige gordijnen met ruches, overdadige kussens met volanten op kittige stoeltjes, schilderijen van onbekende maar ongetwijfeld voorname mannen, vrouwen, kinderen en paarden, en overal hingen matte spiegels waarin je voortdurend werd geconfronteerd met jezelf op een manier die suggereerde dat het hoog tijd was voor een nieuwe jurk...

Er schoot een vendeuse op hen af. Haastig haalde Lena de foto van de begeerde tas tevoorschijn.

'Ah, yes! There is only one of these! And it seems to me that he is just sold!'

Ter ere van de grondlegger van de winkel werd hier Engels gesproken.

Het blonde Amerikaanse meisje ging hen voor naar de volgende verdieping, waar ze stuitten op een zwaar gebotoxte vrouw, die bezig was een stapel kleren te passen. Op de stoel naast haar lag DE tas.

'She just bought it,' zei de verkoopster.

Lena keek. Kees keek ook.

'Pech,' zei Kees.

De vendeuse haalde haar schouders op.

'Mag ik hem heel even vasthouden?' vroeg Lena in haar beste Engels aan de vrouw.

'Oké,' zei deze genereus.

Zodra Lena de tas om haar schouder wierp zag ze voor de spiegel dat ze gelijk had dat ze hierop joeg. Een tas uit duizenden.

'Jammer. It is a beauty. Thank you so much,' zei ze

tegen de vrouw terwijl ze de tas spijtig van haar schouder liet glijden.

De vendeuse gaf hoop. 'Hier is mijn kaartje. Belt u mij morgenochtend, misschien is er nog een in Amerika. Morgen weet ik dat.'

Ze zakten de trappen van de prachtwinkel af.

'Zullen we nog even kijken bij Etro?' stelde Kees voor. Etro was haar lievelingsmerk, de Etro-winkel was drie huizen verderop. Kijken kon geen kwaad.

'We moeten toch ook nog een beetje aan cultuur doen,' zei Lena schuldbewust, terwijl Kees nu het initiatief overnam en voorop de Etro-boetiek binnenstapte. Maar Kees hoorde haar niet, betoverd als ze was door de verrukkelijke zijden en jersey jasjes die daar hingen. Voelend, de stof keurend tussen duim en wijsvinger liepen ze langs de rekken, terwijl een verkoopster hen discreet op afstand volgde.

'Pas dit eens,' stelde Lena voor. Kees liet zich verleiden en toen een vendeuse toeschoot met nog meer jasjes, nam ze haar besluit.

'Prachtig!' prees Lena. Innig tevreden vertrokken ze met de buit.

'We moeten nog even langs Christian Constant in de rue d'Assas, voor de chocolaatjes.' Onmogelijk Parijs te verlaten zonder voor de familie chocola in te slaan. Dat was het heerlijke van deze buurt, alles was dicht bij elkaar op loopafstand.

Bij de beroemde chocolatier werden ze geholpen door een oude vrouw die Lena óók herkende.

'We brengen de spullen naar het hotel en dan gaan

we eten bij Le Dôme,' besliste Lena. De portier reserveerde een tafeltje en een halfuur later ging Lena zich te buiten aan een *mouclade* van kleine mosseltjes, die uitsluitend in deze tijd van het jaar op het menu stonden.

Kees, die na de week vol krabben, kreeften, oesters en aan de lijn gevangen zeebaarzen in Bretagne wel weer eens een stukje vlees wilde eten, bestelde een grote kalfslende.

'Taai!' zei ze kritisch.

'Ja, wie bestelt er nu vlees in een visrestaurant!'

Na de wijn en de koffie slenterden ze naar het hotel.

'Dan doen we morgen een museum,' zei Lena vastbesloten. 'Het Musée du Luxembourg, dat is niet zo heel groot, daar zijn we in een uurtje wel doorheen!'

De volgende ochtend aan het ontbijt verkeerden de vriendinnen met de komende strooptocht in het vooruitzicht in een aangename staat van opwinding.

'De laatste dag!' memoreerde Kees.

'Ja. Vanavond slapen we weer in ons eigen bed.'

'Ik moet er nog even niet aan denken.'

'Nog even niet, nee.'

Ze giechelden als twee kinderen, terwijl ze de laatste Parijse croissant beboterden en met slokken thee genietend naar binnen werkten.

'Ik zal je missen,' zei Kees.

'Ik jou ook,' antwoordde Lena.

'Kom, we gaan op stap.' Kees viste haar handtas onder tafel vandaan.

'We moeten nog wel even langs dat kleine museum in de Jardin du Luxembourg,' zei Lena, 'maar eerst gaan we kijken bij Ralph Lauren of ze die tas kunnen bestellen!'

Opgewekt stapten ze het hotel uit, de winkelstraten in.

'O,' riep Lena, 'hier is de schoenenwinkel van de

Fratelli Rossetti. Ik heb eigenlijk dringend een paar winterschoenen nodig!'

'Weet je wat?' sprak Kees, die geen zin had tijd te verdoen met Lena's schoenenpasserij. 'Ga jij je gang, neem je tijd. Dan loop ik vast door naar de boulevard Saint-Germain. Zie ik je daar over een halfuur, vóór de deur bij Ralph Lauren.'

Lena was al binnen. Haar ogen gleden begerig langs de rekken, maar de modieuze stilettohakken waren niet waar ze op uit was. Ze was doodsbang te vallen en droeg uitsluitend nog platte hakken. Alleen bij officiële gelegenheden waagde ze zich aan een klein hakje.

'Madame?' De kleine verkoopster schoot toe.

'Un instant.' Ze liet zich niet haasten. Maar hier... hier waren toch een paar zwarte sandalen met sleehak... god, wat mooi! En zo onmogelijk hoog als al die andere schoenen waren ze op het oog niet.

'Ik wil deze graag proberen,' zei ze overmoedig.

'Welke maat?'

'Negenendertig en een half.'

Ze liet zich op een stoeltje zakken, keek om zich heen. Hoeveel paar oude Rossetti's had ze thuis nog in de kast staan? Waar ter wereld ze ook was, overal ging ze op zoek naar de schoenen van dit Italiaanse merk, schoenen die haar pasten als handschoenen. Ha, de juffrouw.

Ze deed haar comfortabele stappers uit en gleed in de waanzinnige sandalen. Het meisje fatsoeneerde de bandjes om haar enkels. Ze stond op. Mozesmina, toch wel hoog!

Ze liep voorzichtig naar de spiegel en keek naar haar dunne benen, haar voeten in de modieuze sandalen.

Schitterend!

'Ik neem ze. En ik houd ze aan!' riep ze overmoedig. Ze liet haar oude schoenen in een zak pakken, betaalde en liep een beetje wankel de winkel uit.

Dat viel tegen. Met stijve stappen liep ze voort, ze voelde zich net een Belgische steltloper. Een acteur op cothurnen. Het deed pijn ook. Terwijl die sleehak toch zo comfortabel oogde tijdens het passen.

Haar lopen leek nu meer op strompelen. Ze keek op haar horloge: Kees stond vast al op haar te wachten. Had ze maar een stok, een wandelstok. Moeizaam rondde ze de hoek van de rue du Bac en bereikte de boulevard.

Daar stond Kees, zo'n honderd meter verderop.

'Kees!' riep Lena. 'Kee-ees!'

Het lawaai van de verkeersstroom overstemde haar, zodat ze maar doorstrompelde. Nog een keer: 'Kee-ees! Hoeooi! Kees!'

Kees stond een beetje verdwaasd aan de rand van het trottoir te wachten. Eindelijk keek ze om.

'Lena!'

Struikelend wankelde Lena op haar af.

'Jezus mens, wat heb je nou aan je voeten!'

'Nieuw,' bracht Lena uit. 'Houd me eens even vast, dan trek ik ze uit.'

Zich vastklampend aan de schouder van haar vriendin trok ze de martelwerktuigen uit. Zuchtend van opluchting stond ze met haar blote voeten op het plaveisel, viste haar oude schoenen uit de chique zak van Rossetti en trok ze aan.

'God, waarom heb ik die krengen gekocht!'

'Ja, dat vraag ik me ook af. Kom op, gaan we kijken hoe het met die tas staat.'

Weer ontspannen stapten ze voor de tweede maal het Amerikaanse modepaleis binnen.

'Zullen we hier lekker gaan lunchen?' zei Kees. 'In dat schattige kleine tuintje? The hottest spot in town. Kom op!'

Ze sloten achter aan de rij die bij de kassa van het tuinrestaurant stond. Toen ze aan de beurt waren, riep de strenge gerant: 'Sorry ladies! We are fully booked till the end of July!'

'Dan niet!' zei Kees. 'Gaan we nu kijken naar de tas.'

Op vertoon van het visitekaartje van de Amerikaanse vendeuse van de vorige dag kwam er een even schattig blond meisje naar hen toe.

'Myladies, Ellen heeft een vrije dag. En ik heb goed nieuws: de tas die u zo graag wilde kopen maar die voor uw neus is weggekaapt, is er toch! Onze andere vestiging had er nog een.'

'Geweldig!'

Kees siste achter haar rug: 'Dat mens heeft hem vast niet genomen. Bof jij effe!'

Maar die valse opmerking deerde Lena niet. 'O! I'm very very happy!' kraaide ze blij.

De tas werd gehaald en door Lena bekeken, geopend, besnuffeld. Ook Kees moest hem vasthouden, openen, betasten.

'Is hij niet schitterend?'

'Hij is schitterend.'

'Ik ga hem betalen,' zei Lena, knikte naar de verkoopster en liep achter haar aan naar de kassa, die discreet in een aparte hoek van de zaak stond.

Ze haalde haar creditcard tevoorschijn en schoof hem naar de caissière. Deze stopte hem in het bekende pingleufje.

De caissière haalde haar wenkbrauwen op. 'Not accepted,' zei ze neutraal.

Lena verstijfde. Hoe kan dat nou? vroeg ze zich af.

Maar toen drong het tot haar door dat haar krediet wel eens aan de limiet kon zitten. Ze had de hotelrekening betaald en die rotschoenen...

'O jee,' zei ze. 'Kees!' riep ze over haar schouder. 'Ik kan niet betalen. Ik zit aan mijn limiet.'

Plotseling stond er een elegante jongeman in krijtstreeppak naast haar.

'Hoor ik het goed?' sprak hij. 'Hoor ik Nederlands spreken? Kan ik u ergens mee helpen?'

'O. Ja. Nou, graag. Mijn creditcard is aan zijn... eh... nou ja, hij geeft niet meer krediet! Maar wanneer ik nu mijn bankdirecteur bel – hij weet dat ik niet rood sta – dan kan... misschien dat u... enfin, het zou fantastisch zijn wanneer u met hem eventjes...'

'U bedoelt dat ik even een woordje met uw bankdirecteur wissel? Dat wil ik wel, hoor!'

'Ik ben Lena Steketee.'

'Ronald Verbruggen, general manager. Belt u hem maar, dan regel ik het verder wel en dan gaat u met uw vriendin intussen lekker lunchen in ons tuintje!'

En zo struinden Lena en Kees, voorgegaan door de general manager van Ralph Lauren Parijs, onder de verbijsterde en vooral afgunstige blikken van een rij wachtende hippe Parijzenaars, de kassa voorbij om vervolgens onder een grote parasol op een snoezig bankje neer te zijgen.

'De kok van Le Grillon, drie sterren, heeft de kaart bedacht,' zei Ronald trots en spoedde zich terug voor het gesprek met Lena's bankdirecteur. Lena en Kees bestelden minihotdogs en miniclubsandwiches, allemaal op Franse leest geschoeide Amerikaanse *junkfood delices* in het klein en dronken er hun laatste glas champagne op Franse bodem bij.

En daar was Ronald weer.

'Het is helemaal in orde,' sprak hij triomfantelijk. 'Uw creditcard is opgewaardeerd. Zodra u klaar bent met de lunch gaat u maar naar de kassa, dan komt alles in orde. De tas is al voor u ingepakt.'

'Mag ik u om nog een gunst vragen?' Lena spendeerde haar breedste glimlach aan Ronald.

'Zoudt u de tas misschien naar Amsterdam willen sturen? En mogen mijn nieuwe schoenen er dan bij? Mijn koffer is namelijk propvol!'

Heel even trok Ronald één wenkbrauw hoog. Maar ook deze wens van Lena werd ingewilligd.

Toen de lunch was afgerekend en Lena en Kees een

beetje amechtig van alle emoties het modepaleis verlieten, zei Lena: 'Het is te laat om nog naar het Musée du Luxembourg te gaan. Maar hier aan de overkant is het Musée des lettres et manuscrits. Laten we oversteken.'

Zo renden Lena en Kees in naam van de cultuur haastig naar de overkant van de boulevard Saint-Germain, om in zegge en schrijve twintig minuten kennis te nemen van de verzamelde manuscripten en brieven van Marcel Proust. Waarna ze nog twintig prachtige literaire ansichtkaarten kochten om de thuisblijvers te overtuigen van hun intense belangstelling voor de Franse cultuur.

Aan het eind van de reis werden ze op het eindstation van de Thalys opgehaald door Lena's jongste zoon, die ze allebei liefdevol en zorgzaam bij hun respectieve huizen afleverde.

's Avonds schoof Kees de zware stoel weer tegen de voordeur. En Lena zette haar bed iets dichter bij het raam, zodat ze kon horen wanneer iemand probeerde haar hekje te openen.

'We gaan met vakantie en dan stoppen we ook met roken! Pelle heeft hoge bloeddruk. Hij moet van mij weer gaan sporten. Ik...'

Met stijgende ongerustheid hoorde Lena het verhaal van haar jonge vriendin aan.

'Maud, alsjeblieft, sorry dat ik je onderbreek. Neem het in godsnaam serieus, die hoge bloeddruk. Je man is veel te jong voor hartinfarcten en hersenbloedingen. Kijk naar mij! Mijn leven speelt zich langzamerhand af in een wereld van uitsluitend vrouwen. Vriendinnen vooral. Allemaal weduwen. Of gescheiden vrouwen, waarvan de ex inmiddels ook de pijp uit is. Zorg goed voor je vent, laat hem afvallen. Fitnessen! Zoutloos eten! Zorg dat je op je ouwe dag niet zonder man komt te zitten. Ik weet wat het is.'

'Lena, alsjeblieft. Je jaagt me de stuipen op het lijf. Ik denk altijd dat jij met verve je leven alleen leidt, dat je helemaal geen behoefte meer hebt aan mannelijk gezelschap. Aan mannen.'

'Jawel, maar er is ook geen alternatief. Mannen van mijn generatie, mijn leeftijd, zijn allemaal dood. Of getrouwd. De enige mannen die ik heel zorgvuldig om me heen verzamel, zijn de technische mantelzorgers. De klusjesmannen. Die dag en nacht bij mij willen opdraven om de televisie weer aan de praat te krijgen, doorgeslagen stoppen te vervangen, lampen te verwisselen, schilderijen op te hangen. Met mijn artrosehanden kan ik geen jampot meer open krijgen. Vorige week zat ik hier met een heerlijke fles wijn en twee hoogst geavanceerde hightechkurkentrekkers, waarvan ik absoluut niet wist hoe ik daarmee die fles kon openen. Dat soort dingen. En dit is nog maar een sober verslag. Laatst zat er hier een vleermuis op de schoorsteen. Ik was panisch, stel je voor dat hij in mijn haar zou vliegen! Gelukkig was daar Bene van de brug, die heb ik gebeld. Die heeft het dier in een theedoek gevangen en naar buiten gebracht. Ik krijg nog angstdromen als ik eraan terugdenk!'

'Wat een narigheid. Zo ken ik je niet. Voor mij ben je echt een voorbeeld van zelfstandigheid. Zo wil ik ook oud worden.'

'Probeer je man in leven te houden. Met zijn tweeën oud worden is heus aangenamer dan alleen, Maud.'

'Waarom heb je die arme Maud zo bang gemaakt?' sprak Lena tegen haar spiegelbeeld, terwijl ze met een nagelschaartje twee spierwitte snorharen afknipte. 'Waarom die arme meid opzadelen met zo'n macaber toekomstbeeld?'

Ze vette haar gezicht in, klopte zorgvuldig crème in haar hals. Glas water voor de nacht, telefoon binnen handbereik, de nieuwe Martin Amis klaar voor als de slaap niet wilde komen. Ze stapte in bed, het heerlijke bed. Ze wilde het hoofdeinde met een afstandsbediening in de schuine leesstand zetten, maar er kwam geen beweging in.

Lena dacht na. Twee en een half jaar genoot ze van dit moderne comfort en nu verdomde het ding het. Er zat niets anders op dan maar in horizontale stand te gaan lezen. En morgen een verse batterij halen voor de afstandsbediening.

De volgende dag deed de nieuwe batterij haar werk, het hoofdeind van haar bed kwam traag overeind, Lena las een gat in de nacht. Maar toen ze slaap kreeg en het hoofdeind naar beneden wilde laten zakken, kreeg ze er ondanks de nieuwe batterij geen beweging in. Na veel vergeefse pogingen besloot ze dan in 's hemelsnaam maar rechtop te gaan slapen. Totaal verkreukeld werd ze de volgende ochtend wakker. Ze belde de winkel waar ze het prachtbed had gekocht en vroeg de verkoper wat haar te doen stond om niet de rest van haar leven rechtop te hoeven slapen.

'Mevrouw Steketee, onder uw bed zit een motorblok. Daarin moet óók een nieuwe batterij.'

Zodat Lena op de fiets naar de dorpssuper reed en nóg een verse batterij aanschafte. Maar nu. Waar moest dat ding in?

Op het moment dat ze plat op haar buik erachter probeerde te komen wáár de batterij in het motorblok moest worden bevestigd, kwam Lies binnen. 'God Lena, wat ben je aan het doen? Ik heb geroepen bij de deur. Je hoorde me zeker niet. Ik ben maar doorgelopen.'

Lies liet zich naast Lena op haar knieën zakken. 'Wat probeer je te doen?'

In een soort achterwaartse tijgersluipgang kwam Lena onder het bed vandaan. 'Ik kan het gat waar die batterij in moet niet vinden!'

'Laat mij eens proberen.'

Nu liet Lies zich op haar buik zakken, kroop vér onder het bed. 'Geef die batterij eens aan.'

Er volgde een ongearticuleerd gemopper van beneden: 'Is dit nou een bed voor een bejaarde? Hoe moeten ouwe mensen in 's hemelsnaam hier ooit een batterij vervangen? Ik zie ook niet waar dat ding in moet!'

Lena kreeg een lumineus idee. 'Blijf even rustig liggen. Ik ga de man van dat beddenpaleis weer bellen. Dan moet hij je telefonisch begeleiden!'

Er klonk een diepe zucht onder het bed. 'Oké.'

Zenuwachtig zocht Lena het telefoonnummer van de beddenwinkel. Gelukkig kreeg ze de verkoper van daarnet meteen aan de lijn: 'Hallo, nogmaals met mevrouw Steketee. Meneer, ik geef u even mijn vriendin. Zij ligt nu onder het bed, maar kan het gat voor de batterij in het motorblok niet vinden!'

Ze bukte zich om Lies de telefoon te overhandigen. Er ontspon zich onder het bed een relaxte conversatie tussen de beddenverkoper en haar vriendin, waar Lena uit opmaakte dat er voortgang was bij de verwijdering van de oude en de bevestiging van de nieuwe batterij. Ze keek naar de benen van Lies, die onder het bed uitstaken. Alsof er een enorme baby daar beneden aan het spelen was…

Met een paars hoofd van inspanning schoof Lies zuchtend en steunend weer tevoorschijn: 'Godsamme! Dit is geen gebruiksvriendelijk bed. Hoe vaak moeten die batterijen worden verwisseld? Eens in de twee jaar? Schrijf dat alsjeblieft in je agenda, want als het weer zover is, mag je wel hulptroepen laten aanrukken!'

Twintig jaar leefde Lena Steketee alleen. Alles went. Lang had ze nog gedacht dat er zich wel eens een plaatsvervanger voor haar levensgezel van dertig jaar zou aandienen. Een nieuwe man, met wie ze een nieuw leven zou beginnen. Maar zowel de wens als de noodzaak was langzaam verbleekt. En zo ze er al over nadacht, wist ze ook niet meer wat ze zich bij een partner moest voorstellen. Er was toch geen beginnen aan om dat lange leven aan iemand uit te leggen, om nog maar te zwijgen van de uitleg van de ander. Nee, die ambitie was er niet meer.

Maar af en toe, wanneer ze een oud echtpaar hand in hand of arm in arm zag lopen, voelde ze een kleine hunkering. Die intieme kleine ogenblikken, vrucht van jarenlang samenleven, moest ze voorgoed missen.

Ze had ergens gelezen dat je, om het zoenen niet te verleren en je lippen niet te laten opdrogen, dagelijks je handen moest kussen, langdurig en hartstochtelijk. En in slapeloze nachten liet ze nog wel eens de mannen die haar belangstelling hadden gewekt, of liever gezegd de mannen die ze niet was vergeten, in haar hoofd de revue passeren.

Zoals Gerard, de zoon van de buren van haar grootouders. Hij was het voorwerp van haar allereerste wilde affectie. Zij was bijna zes, hij vijftien.

Hij nam haar op schoot om haar voor te lezen, waardoor ze bijna flauwviel van opwinding. Hij was ook zo mooi, helemaal de beau garçon uit de jaren dertig, gekleed in plusfour en tennistrui, zijn glanzend zwarte haar in een scherpe scheiding en met veel brillantine tegen zijn schedel geplakt.

Lena's moeder, na een emotionele periode gescheiden, was om haar gemoedsrust te hervinden twee weken ondergebracht in een rusthuis bij Beekbergen en Lena mocht logeren bij die buren. Aan tafel overwon Lena haar aanvankelijke verlegenheid en sloofde zich uit in fantasieverhalen, allemaal bedoeld voor de aanbeden Gerard. Haar fantasie voerde haar over de grenzen van de werkelijkheid en ze nodigde de hele eerste klas van de meisjesschool uit voor een poppenkastvoorstelling, die uitsluitend in haar verbeelding bestond.

Al die kleine meisjes voor de deur voor de poppenkast, de buren waardeerden het maar matig.

Maar de lachbui waarin Gerard uitbarstte, deed Lena letterlijk in de grond zakken van schaamte. Dat hij haar uitlachte, onverdraaglijk! Gemeen!

Jaren later – de oorlog was allang voorbij – hoorde haar grootmoeder hoe het Gerard was vergaan. Hij had getekend bij de Kriegsmarine en was gesneuveld door een torpedovoltreffer in zijn onderzeeboot.

Net goed, dacht Lena wraakzuchtig toen ze het

nieuws vernam. Vuile verraaier, dacht ze ook, nu ze in staat was haar ellendige gekwetste gevoelens van toen te formuleren. De Kriegsmarine. Ha!

Eén keer verkocht ze haar gunsten, aan Nico, de buurjongen. Direct na de oorlog – schoenen waren niet te koop – ontstond er een rage om houten zooltjes te voorzien van een lapje vrolijke stof. Dan had je een klompschoen. Die stof moest met kopspijkers op het hout worden bevestigd. Maar in het huishouden van haar moeder bestonden geen kopspijkers.

Lena had een paar houten zolen weten te bemachtigen en ook een stuk lichtblauwe stof met bloemetjes. 'Vraag het maar aan Nico,' zei haar moeder.

'Ja hoor,' sprak de buurjongen, een puisterige puber van een jaar of vijftien. 'Maar dan moet je me wel zoenen! Tien keer!'

Zoenen. Er werd in Lena's kinderleven niet veel gezoend. Je zoende je moeder voor het naar bed gaan op haar wang, één keer. En af en toe een oude tante of een vriendin van je moeder.

Verder niet. Wel had ze veel gelezen over 'kussen'. In de boeken die zij las werd voornamelijk gekust, zoenen klonk in haar oren ook een beetje plat.

Lena keek naar Nico, taxeerde vraag en aanbod. Die klompschoenen móést ze hebben.

'Oké,' zei ze eindelijk.

Ze keek toe hoe Nico vakkundig de op maat geknipte blauwe stof op de zooltjes timmerde.

'Klaar!' sprak hij vrolijk. 'Trek ze maar aan.'

Beeldig. In één woord beeldig. Maar nu.

'Hier jij!' sprak Nico. In de donkere schuur trok hij haar op zijn schoot. Ze keek naar zijn gulzige mond. Net zure zult, dacht ze. Hij heeft lippen van zure zult.

'Tien keer!' zei hij nog eens ten overvloede.

Daar kwam de eerste zoen, vol op haar meisjesmond. Ze griezelde. Het liefst wilde ze zich losrukken. Hij voelde haar weerstand. 'Niks d'r van. Dat was één!'

Daar kwam de tweede. Hij hield zijn lippen zo lang op haar mond dat ze dacht te stikken. Hij probeerde zijn tong tussen haar lippen te duwen, maar ze hield ze stijf dicht.

'Vind je het niet lekker?' vroeg hij.

Ze durfde niet nee te zeggen, ze bromde maar een beetje. 'Drie!' riep hij. En daar kwam de zure zult weer.

Het was hel. Maar de klompschoenen waren prachtig.

'Mieters!' zeiden ze op school, 'ze zijn echt mieters.'

Op het gymnasium was een jongen die achteraf bezien waarschijnlijk wél haar prille fysieke gevoelens raakte.

Ze liepen samen over de bevroren Amersfoortse Beek van school naar huis. Hij kwam uit Nieuw-Guinea, had kroezend haar, en ze was dol op hem.

Eénmaal kwam hij bij haar thuis. Haar moeder lag weer eens in het ziekenhuis, ze waren alleen. Ze zette thee voor hem, hij heette Bart. Ze droeg een schortje en hij kwam achter haar staan toen ze de thee in de kopjes schonk.

Heel voorzichtig trok hij de banden van haar schort los. Lena stond doodstil, betoverd door zijn heel lichte aanraking. Er gebeurde verder niets.

Ze bakte borstplaat voor hem, een hart. Niet te vreten borstplaat, keihard.

Maar toen er iets ontstond wat voor groei vatbaar was, verhuisde hij naar Amsterdam.

Ze had hem nooit meer teruggezien.

Haar eerste échte vriendje maakte uitgekookt raffinement in haar wakker, om haar doel koste wat kost te bereiken. Veertien jaar was ze, bijna vijftien, en ze zou hem krijgen!

Een slungelig lijf, heerlijke donkere ogen en krullen, en een mond die haar deed dromen. Ze hing uit het raam om te controleren of hij langsfietste. Zodra ze hem had gespot haastte ze zich naar beneden, rolde haar badpak in een handdoek en liep razendsnel naar het zwembad aan het eind van de straat.

Ze was in het gelukkige bezit van een prachtig badpak, van zwart-glanzende strakke stof, zo een als Esther Williams droeg in *Bathing Beauty*. Het was een erfstuk van een Surinaamse tante, niemand had zo'n badpak. Duiken durfde ze alleen nog maar van de lage springplank, maar van de hoge maakte ze indruk (hoopte ze) door met haar armen rond haar opgetrokken knieën een bommetje te maken. Zodra ze na die spectaculaire sprong weer bovenkwam keek ze rond. Had hij het gezien? Waar was hij?

Hij stond in de garderobe, waar hij wat bijverdiende, en was druk aan het praten en lachen met andere jongens van de hbs. Had ze zich voor niets uitgesloofd. O bah, daar was die dikke meid, zeker een kop groter dan hij. Dat was zijn vriendin. Tot overmaat van ramp heette ze ook nog Truus!

Mismoedig klom ze uit het water, wikkelde de handdoek om haar hoofd in een hoge tulband op de Esther Williamsmanier en liep sloom richting garderobe, waar de jongen nog steeds aan het dollen was met zijn vrienden.

Hij keek niet op of om, maar een van zijn vrienden zag haar wel.

'Lena! Wil jij met mij naar het schoolbal?'

Het schoolbal. Snel als de bliksem calculeerde Lena haar kansen: met Pieter mee naar het bal. Daar zou Jochem ook zijn, met die dikke meid. En dan werd er altijd een aftikdans gedaan. Hier lag haar kans.

'Leuk,' zei ze, 'wanneer is het bal?'

'Volgende week zaterdag.'

'Nou graag.'

De jurk was fantastisch, ook een afdankertje van haar tante uit Suriname. Hij was van Amerikaanse makelij, had geen oorlog of hongerwinter meegemaakt, was van de juiste avondjurkenlengte, zonder rare verlengstukken zoals die in dat tweede jaar na de oorlog nog steeds werden gedragen. Zachtgele organdie, met een pelerineachtig schouderstuk dat flatteus over haar nog niet tot bloei gekomen borstjes hing.

Pieter kwam haar afhalen met de fiets. Daar ging ze, achterop, nagekeken door haar grootmoeder en moeder.

Het bal werd gehouden in de grote Markthal. Een bigband swingde erop los, speelde het Glenn Millerrepertoire. Over Pieters schouder speurde Lena naar Jochem met die dikke Truus. Pieter, onwetend van het feit dat hij door Lena werd gebruikt voor een ander doel, riep vrolijk: 'Daar is Jochem met Truus!' Hij knikte met zijn hoofd in de richting van het andere stel, waarop Lena haar nek bijna verrekte om zijn blik te volgen.

'Schrikkeldans!' riep Dan Bearda, de plaatselijke dansleraar, die ook bij alle schoolfeesten werd ingezet als balleider. 'Dames, grijpt uw kans!'

Dat liet Lena zich geen twee keer zeggen. Ze maakte zich los uit de dansomarming van Pieter, liet hem midden op de dansvloer staan, liep zo snel ze kon in de richting van Jochem met zijn Truus en tikte hem krachtig op zijn schouder.

'Mag ik deze dans van jou?'

Zodat hij beduusd zijn dame losliet en zich voegde in de open armen van Lena.

In de hemel. Zo moest het zijn. Een Engelse wals, slepend en zwoel. Helemaal goed.

En goddank werd hij noch zij afgetikt door een ander.

Lena herinnerde zich niet precies hoe het nu toch kwam dat ze plotseling gearmd met Jochem buiten liep, waar de maan ook nog vol boven de Markthal hing.

Het was in één woord hemels, precies het gevoel dat ze had bij het lezen van *School-idyllen.*

Maar ze moesten weer naar binnen, waar Truus en Pieter woedend naar hen zochten.

'Je liet me zomaar staan! En waar was je? Ik kon je nergens meer vinden!'

'Sorry,' zei Lena, nauwelijks in staat haar opgewonden geluksgevoel te verbergen, 'dat was niet zo netjes.'

'Dat mag je wel zeggen! Ik neem jou nooit meer mee!'

'Dat hoeft ook niet,' mompelde Lena zachtjes voor zich uit.

'Wát zeg je?'

'Niks.'

Waarop Pieter haar achter op zijn fiets weer naar huis reed. Zijn avond was verpest.

Het was een eerste liefde, een echte jeugdliefde van een hevige soort. Jochems ouders waren nog in Indonesië, hij woonde bij een oude tante. Lena's moeder was ongeneeslijk ziek en bracht veel tijd in het ziekenhuis door. Ze troostten elkaar, verkenden hongerig elkaars lichaam en waren vast van plan later, na zijn studie en haar studie, met elkaar te trouwen.

Maar natuurlijk kwam er de klad in. Ze waren veel

te jong om zich uitsluitend aan elkaar te wijden en werden allebei verliefd op van alles en nog wat.

Jochem biechtte op: 'Ze heeft niet zulke mooie borsten als jij. Veel platter!'

Van dit bedenkelijke compliment werd Lena heel treurig en kwaad. Ze nam revanche door met een elegante half-Chinese medische student te vrijen, ja, zelfs naar bed te gaan. Waarbij bleek dat ze er nog helemaal niks van kon, van dat vrijen. Na een boswandeling diep in de nacht wilde de halve Chinees verder gaan. Maar het natte mos noodde niet tot liggen, en hij vroeg: 'Heb jij dan geen handje?'

Deze vraag begreep Lena niet. Wat wilde hij van haar? Achttien jaar en nog zo naïef als een kuiken, ook al vond zij zichzelf erg wereldwijs. De jongen kreeg haar eindelijk op zijn studentenkamer in bed. Na afloop zei hij: 'Je bent wel lekker, maar je kunt er echt helemaal niks van!'

Zodat ze maar weer troost zocht bij haar vertrouwde vriendje, voor wie ze het misschien wel 'lekker' genoeg deed. Hij was inmiddels ook teruggekomen van de vrouw met de platte borsten.

Het zag er nog een poosje naar uit dat ze elkaar serieus liefhadden, er werd gepraat over 'verloven', maar al dat buitengaats gehannes had hun relatie voorgoed bedorven. Bovendien deed zich iets voor dat haar gevoel voor hem verder deed wankelen.

Tom. Op de schoolbals zag ze hem af en toe. Hij zat in de hoogste klas van het gymnasium, zo'n jongen met sluik haar en een je-ne-sais-quoi... Een jongen uit een boek. Een jongen die je deed blozen. Onbereikbaar, niet voor haar bestemd.

Jochem ging halverwege de lustrumfeesten van de studentenvereniging voor twee maanden naar zijn ouders op Java. 'O ja,' zei hij tijdens hun laatste avond voor zijn vertrek. 'Tom Passchier vroeg of hij voor de rest van de bals jou mocht meenemen. Lenen. Omdat ik toch weg ben.'

Lena sloot heel even haar ogen. Hoorde ze het goed? Dacht hij misschien op dezelfde manier aan haar als zij aan hem?

'En?' vroeg ze zacht.

'Nee, zeg. Natuurlijk niet. Dat spreekt toch vanzelf. Jij bent van mij!'

Zo ging Tom aan haar neus voorbij.

Gedurende haar hele leven bleef ze, tussen alle andere relaties door, aan hem denken. En af en toe, in gezelschappen waarvan ze vermoedde dat ze weet hadden van zijn bestaan, vroeg ze bij vroegere jaargenoten voorzichtig naar hem. Naar Tom Passchier.

'O, Passchier, Tom. Hij deed chirurgie. Directeur van het ziekenhuis in Zutphen geworden.'

Ziekenhuis in Zutphen. Ze durfde geen energie te steken in een zoektocht. Maar ze dacht aan haar grootmoeder, die na haar grootvaders dood nog eens op zoek was gegaan naar zijn voormalige concurrent in de liefde. Vijf jaar had ze op opa gewacht, terwijl hij in de Boerenoorlog aan de kant van Paul Kruger als commando had gevochten tegen de Engelsen. Twee keer per jaar kreeg ze zijn brieven met de mail en toen hij terugkwam trouwden ze. Maar er bleek in die vijf jaar toch een kaper op de kust te zijn geweest.

Oma was al in de zeventig toen ze besloot deze man, inmiddels ook bejaard, nog eens op te zoeken. Ze trok er een hele dag voor uit. En toen ze 's avonds terugkwam zei ze: 'Ik heb toch gelijk gehad dat ik Jan heb gekozen!'

Maar Lena kreeg nooit de kans uit te zoeken of deze latente gevoelens voor de droomjongen recht van bestaan hadden. Trouwens, er viel in haar lange leven geen gelijk te halen uit de door haar begane vergissingen in de liefde.

'U wordt heel oud. En u zult plotseling sterven met een volle agenda!'

Deze geruststellende woorden waren lang geleden door een tarotlegger uitgesproken. En altijd wanneer Lena uitgeput raakte doordat zij haar energie verdeed aan allerlei onbelangrijke bezigheden, waardoor haar geordende leven dreigde te ontsporen, dacht ze aan deze voorspelling en haalde er hernieuwde kracht uit. Maar de laatste tijd, nu ze de tachtig naderde, vroeg ze zich wel eens af: Wat is heel oud? Ben ik niet al héél oud?

Ze keek naar de lijnen in de binnenkant van haar hand. Die waren weliswaar behoorlijk lang, maar eindigden in slordige vertakkingen. Ze wist niets van handlijnkunde en had ook geen behoefte zich op de hoogte te stellen van de betekenis van die einddelta's.

Gisteravond, ze lag al in bed, had ze eensklaps het gevoel dat haar hart haar wel eens in de steek zou kunnen laten. Lichte paniek maakte zich van haar meester. Ze kwam overeind, probeerde door diep in en uit te ademen haar gemoedsrust te herwinnen. Maar de paniek hield lange tijd aan. Ze dacht aan de mensen en kinderen die ze, lang geleden, in de tijd dat ze leerling-verpleegster was, had zien sterven. En toen herinnerde ze zich een van de meest merkwaardige dingen in haar leven: ze stierven nooit tijdens haar dienst. Het was opvallend. Vijf minuten nadat ze was afgelost, in de avonddienst, de nachtdienst of gewoon om zes uur, bliezen de patiënten hun laatste adem uit.

Voor haar eindexamen moest ze minimaal twee patiënten afleggen. Maar omdat er tijdens haar dienst nooit iemand de geest af, moest ze op een vrije dag die verplichte taak volbrengen!

Lena grinnikte bij de herinnering. De zenuwachtige onrust nam af, ze ging maar weer in bed liggen, strekte zich uit en geeuwde eindelijk diep en ontspannen. Haar gedachten gingen terug naar de tijd in het Academisch Ziekenhuis, naar de psychiatrische afdeling, waar ze na drie jaar het zogenaamde Zwarte Kruisdiploma had gehaald: de bevoegdheid om neurologische en psychiatrische patiënten te verplegen.

'Steketee, ga jij met de dames wandelen?'

Lutsje Viersma, een timide boerin, en zuster Doorman, een bejaarde diacones, waren maanden geleden opgenomen na een mislukte suïcidepoging. Alle twee werden ze behandeld met elektroshocktherapie. 'En ze zijn er stukken beter aan toe. Binnenkort mogen ze naar huis!' In de stem van hoofdzuster Blok klonk triomf over de resultaten die toch maar in deze eminente psychiatrische kliniek waren behaald.

Lena wist niet zoveel van die methode om depressie te bestrijden. Alles wat ze van de shocktherapie had gezien waren de patiënten die na de behandeling uitgeteld op de brancard lagen, overvloedig speeksel in de mondhoeken, het houtje dat hen tijdens het epileptisch schokken moest behoeden voor een tongbeet er nog naast. Zorgvuldig wiste ze de hulpeloze monden af, fatsoeneerde het haar voor ze hen terugbracht naar de zaal. Achter een scherm kregen de patiënten de gelegenheid bij te komen.

Hoe dapper moest je zijn om je van het leven te beroven, of hoe wanhopig? En hoe was het mogelijk door het toedienen van een elektrische schok die diepe doodsdrift uit je hoofd te bannen?

'Zorg dat je om twaalf uur terug bent. Dan kan je de keukenzuster helpen met het eten.'

Lena hielp de vrouwen in hun jas. 'Geef mij maar een arm,' zei ze, terwijl ze met de sleutel die met een touw om haar middel vastzat de deur van Vrouwen III, de gesloten psychiatrische afdeling, opende en weer achter hen sloot.

Ze liepen een beetje onwennig de lange gang door, langs de portiersloge waar de portier vrolijk naar hen zwaaide. Een beetje zoekend naar het juiste ritme van het gearmd met z'n drieën lopen stapten ze de Nicolaas Beetsstraat uit, de brug van de Catharijnesingel over, de stad in.

Lutsje haalde diep adem. 'Vreemd,' zei ze, 'de wereld ziet er zo raar uit.'

Zuster Doorman zweeg.

'Vindt u het ook wel een beetje prettig, zo buiten?' vroeg Lena.

'Jawel. Alleen het daglicht is wel erg fel voor mijn ogen.' De diacones kneep haar ogen half dicht.

'Fijn dat jullie binnenkort weer naar huis gaan.'

Ze kreeg geen antwoord. Zo liepen ze gedrieën met bijna plechtige stijve stappen zwijgend naast elkaar voort. Dat was niet naar Lena's zin. Die zwijgende vrouwen, al haar enthousiasme verschrompelde, stuitte op hun onvermogen plezier te voelen of desnoods te veinzen.

Plotseling kreeg ze een ingeving.

'We gaan koffie drinken!' zei ze vrolijk. 'Met taartjes. Bij Van Angeren. Ik trakteer!'

'Taartjes?' Lutsje keek vragend naar haar op. 'Waarom?'

'Om te vieren dat we hier in de zon lopen. Omdat jullie bijna weer naar huis mogen. En omdat ik net mijn salaris heb gekregen!'

'Taartjes,' zei zuster Doorman. 'Dat is lang geleden. Ik kan me eigenlijk niet heugen dat ik een taartje heb gegeten.'

'Kom op, meisjes!'

Het leek waarachtig of dit drieste plan wat zuurstof in de patiënten blies. Er werd iets krachtiger doorgestapt. Binnen een kwartier stonden ze voor Lunchroom Van Angeren, pleisterplaats van de Utrechtse dames-chic.

Lena was er jaren geleden eens met haar moeder geweest. Ze hadden toen een 'fruitlunch' genuttigd, witte boterhammen en schaaltjes met druiven, appel en peer. Het was 1948, haar moeder was al ziek, maar altijd te porren voor uitjes.

'Dat is heel Amerikaans, een fruitlunch,' wist haar moeder. Lena had liever iets met slagroom genomen: taart. Of zo'n grote coupe met veel ijs en daarbovenop dan weer slagroom.

Ze duwde de onwennige vrouwen zachtjes over de drempel. 'Kom, laten we hier maar gaan zitten.' Ze koos een ronde tafel dicht bij de ingang, opgelucht dat ze hen zover had gekregen.

'Drie koffie. Met slagroom,' bestelde ze bij het meisje in het zwart met het pittige witte schortje, 'en taartjes. Mogen we uitzoeken?'

Het meisje kwam met een etagère met taart, moorkoppen en tompoezen.

'Neem maar wat je wilt!' moedigde Lena de vrouwen aan.

'Gut,' zei Lutsje, 'zulk gebak ken ik niet. Wij bakken altijd zelf. Appeltaart.' Ze wees naar een dikke moorkop. 'Die lijkt me lekker.'

De diacones zocht na lang aarzelend kijken een aardbeientaartje. Met een zilveren taartschep legde de dienster het lekkers op de bordjes.

'U niet zuster?'

Zuster. O ja, ze had haar uniform aan, compleet met witte muts. 'Nee, ik neem alleen koffie.' Het ging hier per slot van rekening niet om haar plezier.

De koffie kwam, de slagroom in kleine schaaltjes apart ernaast.

Nu was er toch wat fleur gekomen. Lutsje had vurige blossen op haar bleke wangen en ook zuster Doorman zat duidelijk te genieten van haar taartje. Terwijl ze met bedachtzame slokjes haar koffie dronk, toonde ze zelfs belangstelling voor Lena.

'U bent toch nog geen echte verpleegster, hè?'

'Nee, ik ben nog leerling. Eerstejaars.'

Het lekkers was op, de kopjes leeg.

Lena rekende af.

Toen ze terug naar het ziekenhuis liepen, was er zelfs een begin van vrolijke conversatie.

'Zodra ik thuis ben, ga ik weer eens een appeltaart voor de kinderen maken. Of een cake.' Lutsjes stem was minder monotoon dan gewoonlijk.

Lena was gelukkig.

Twee weken later werden de boerin en de diacones op dezelfde dag ontslagen.

'We zullen u missen,' zei de hoofdzuster bij het afscheid tegen zuster Doorman.

'En zult u goed op haar passen?' vroeg ze aan de man van Lutsje, een aardige vent met een pet, die hij zenuwachtig tussen zijn handen draaide.

Diezelfde avond nog sprong de diacones vanuit het raam van de vijfde verdieping naar de dood. De volgende dag verhing Lutsje zich in de koeienstal.

Tweedejaars leerling was Lena toen ze in de nachtdienst de verantwoording kreeg voor Mannen II, de afdeling voor minder ernstige en voornamelijk lopende psychiatrische patiënten. Helemaal alleen zat ze midden in de zaal aan een tafel met een nachtlamp, om haar heen de slapende en soms snurkende mannen. Midden in de nacht werd ze een halfuur afgelost door een collega om aan tafel te gaan. Door de donkere tuin van het ziekenhuiscomplex liep ze met collega's van andere afdelingen naar het hoofdgebouw voor de nachtelijke maaltijd, naar de eetzaal, waar ze werden onthaald op brood met een kop soep, soms een kroket. Jonge meiden en jongens, aspirant-broeders en -zusters, even los van de verantwoording voor heel zieke mensen, leefden zich in dat halfuurtje vaak uit door te dollen met elkaar en luidruchtig harde grappen te maken voor ze weer terugkeerden in het keurslijf van de ernstige plicht.

'Nog iets voorgevallen?' vroeg Lena aan Boertien, de afloszuster van Mannen III, de gesloten psychiatrische afdeling, terwijl ze in de keuken een kop koffie voor zichzelf inschonk – het was pas twee uur en de nacht duurde nog lang.

'Ze slapen als ossen. Ongelofelijk wat die kerels snurken en ronken. Af en toe laat er één een knalharde wind. Er is hier een heel andere sfeer dan bij mij op Mannen III.' Boertien nam ook nog een haastige mok koffie, er werd op haar gewacht. 'Nou, rustige wacht, Steketee. Tot straks.'

Leunend tegen het aanrecht dronk Lena het grondsop dat al vanaf elf uur op een lage pit warm werd gehouden. Ze verlangde naar haar boek, de nieuwe Vestdijk, rustig lezen onder de nachtlamp bij de tafel tot om halfzeven de keukenzuster het ontbijt bracht. Om halfacht werd ze afgelost, en dan ging ze weer met een stel aan tafel voor de warme maaltijd. Lena was dikwijls niet in staat om na een nacht waken enthousiast boerenkool of andijvie met gehakt, met gele vla toe, naar binnen te werken. Dan liep ze een blokje rond het ziekenhuis om bij de banketbakker op de hoek van de Catharijnesingel twee vruchtentaartjes te halen. Daar sliep ze beter op. Want naar bed moesten ze, de leerlingen uit de nachtdienst. Het hoofd van de huishoudelijke dienst controleerde zelfs of ze wel tot twaalf uur in bed lagen!

Ze spoelde de vuile kop schoon en begaf zich naar de zaal, waar het boek wachtte.

Godsamme! Ze schrok zich te pletter. Vóór haar, als uit de grond opgerezen, stond de oude meneer Peters, zijn badjas opengeslagen, zijn bejaarde klokkenspel in halve erectie hartelijk naar haar uitgestoken.

In een primaire reactie wilde Lena roepen: 'Weg ouwe viezerik!' Maar gelijktijdig herinnerde ze zich de instructies die haar waren ingeprent bij de lessen van de hoofdassistent van de professor: 'Verbijt je schrik. Daar is de patiënt op uit! Reageer zo min mogelijk, negeer het moment.'

Dus knipperde Lena slechts met haar ogen en liep meneer Peters onverschrokken voorbij. Deze bleef verbaasd staan, stamelde: 'Ik moet even naar de wc...'

'Goed hoor,' antwoordde Lena en liep de zaal op. Haar knieën knikten een beetje, maar koelbloedig nam ze plaats achter de tafel, sloeg haar boek bij de bladwijzer weer open en boog zich, zonder op of om te kijken, over het boek. Aan haar zou die ouwe vent geen lol beleven!

Op Mannen II waren de onduidelijke depressies, de maagzweren met een psychosomatische achtergrond, de neurotici waar gesprekstherapie op werd losgelaten, en de vage klachten, in afwachting van een nadere diagnose, opgenomen. Lena was gefascineerd door een man met een enigszins oosters uiterlijk. Javaans, dacht ze. Ze had dagdienst toen ze onverwachts werd geconfronteerd met zijn wonderlijk provocerend gedrag.

De zaaltelefoon ging. Bij toeval stond het kastje waartoe uitsluitend de dienstdoende verpleegster of broeder met een sleutel toegang had, open. De man liep razendsnel op het gerinkel af, pakte de hoorn en riep luid: 'Hallo! Met een psychopaat!', waarna hij de hoorn op de haak gooide. Lena stikte van de lach, maar de eerste verpleegster was woedend. 'Wilt u dat nooit meer doen?' berispte ze de man, die haar hooghartig aankeek en niks terugzei.

'Wie heeft de telefoonkast opengelaten?' vroeg zuster Klompsma onder het gezamenlijk koffiedrinken bij het wisselen van de dienst. Niemand gaf antwoord.

'Ze is bang dat de professor erachter komt,' siste een collega tegen Lena, 'dan zwaait er wat voor haar!'

Maar de volgende confrontatie met de spannende patiënt was minder vrolijk. Hij moest voor een aantal onderzoeken een paar dagen het bed houden. Lena had late dienst, waarbij ze de bedlegerige patiënten voor het slapengaan moest 'wrijven en trekken', handelingen die in de jaren vijftig tot de dagelijkse routine behoorden om eventueel doorliggen te voorkomen. Het steeklaken dat het dwarse bedzeiltje en de matras onder het onderlichaam van de patiënt beschermde, werd strak getrokken (trekken) en de bilpartij van de patiënt werd ingesmeerd met kamferspiritus (wrijven), waarna de billen werden bestoven met talkpoeder.

Gewapend met de fles kamferspiritus en de poederbus naderde Lena een beetje onzeker het bed van de vreemde man, maar nog vóór zij de kans kreeg iets te zeggen trok hij met een ruk de dekens opzij en stak haar de afgehakte stomp van zijn rechterbeen onder haar neus.

'Ja, meisje, die poot is eraf gereden door de tram!' zei de man, terwijl hij met een grijns zag hoe Lena nog net niet de fles en de poederbus van schrik uit haar handen liet vallen.

'Wilt u zich even op uw zij draaien?' vroeg ze timide, waarop zij zo snel als mogelijk zijn magere billen insmeerde en er zenuwachtig veel te veel talkpoeder overheen strooide.

Gelukkig werd Lena overgeplaatst naar Mannen I, de mannenzaal van de afdeling neurologie, waar vooral doodzieke mensen lagen en psychologische spelletjes van patiënten niet aan de orde waren.

En omdat er tijdens haar diensturen nooit iemand wilde sterven, moest Lena een vrije dag offeren om toch minstens twee lijken af te leggen, zodat ze zich ook kon bekwamen in deze vaardigheid.

Ze trof het niet. Er was een spraakmakende moord gepleegd in de Bollenhofsestraat. De kranten stonden er vol van. Er was bij een alleenwonende vrouw aangebeld. Toen zij de deur opende, sloeg de moordenaar haar met een bijl de schedel in en koos het hazenpad. De vrouw werd zwaargewond naar Vrouwen I vervoerd, waar ze stierf. En nu was Lena aan de beurt om met een gediplomeerde collega het arme mens de laatste zorg te verlenen.

Het was een enorme vrouw. Het witte vlees van haar roerloze lichaam lilde door de open zijkanten van het smalle ziekenhuisbed. 'Pak jij de watten,' droeg de collega Lena op.

Met moeite rolden ze de dode vrouw op haar zij.

'Houd jij haar tegen, dan stop ik haar vol.'

Bij deze actie steeg er plotseling een geweldige zucht uit de holtes van het lijk op. 'Ja, daar moet je niet van opkijken. Ik schrok me een ongeluk de eerste keer dat ik dat hoorde. Maar er komen vaak nog allerlei geluiden uit!'

De collega propte de lichaamsopeningen nu vol met watten, daarna rolden ze de dode vrouw weer op haar rug.

'Arme meid, ze hebben je wel te pakken gehad!'

Meewarig keken ze allebei naar de gehavende vrouw. Zorgvuldig en liefdevol maakten ze haar weer een beetje toonbaar.

De broeder van het mortuarium kwam met de brancard met loden bodem de kamer binnen. Met vereende krachten kregen ze het lichaam in de kar en bedekten vervolgens de vrouw met een laken. Daarna liepen ze door de gang via de tuin naar het mortuarium, waar het slachtoffer in een koelcel werd geschoven. De broeder maakte een kaartje met daarop haar gegevens en bond dat aan een van haar grote tenen.

Lena rilde. Van kou. En van narigheid.

Hij lijkt op Gregory Peck. Sprekend! dacht Lena.

De lange donkere jongen zat daar op die eenpersoonskamer op de klassenafdeling in zijn eentje te zwijgen. 'Hij is een patiënt van de professor,' lichtte de hoofdzuster van de afdeling haar in.

'Wat heeft hij?' vroeg Lena nieuwsgierig.

De hoofdzuster haalde haar schouders op. 'Weten ze nog niet. Hij is hier voor onderzoek.'

'Hij zegt niet veel.'

'Niks,' zei de hoofdzuster.

Hier was voor Lena werk aan de winkel. De avonddienst schiep ruimte eens wat meer aandacht aan de nieuwe patiënt te schenken. Het was niet druk op de afdeling: er lag een oude dame met hoofdpijnklachten die overdag allerlei onderzoeken onderging en nog twee depressieve oudere heren, op wie nieuwe medicijnen werden uitgeprobeerd. Nadat zij deze patiënten voor de nacht gereed had gemaakt, repte Lena zich naar Gregory Peck, die met gesloten ogen zat te luisteren naar het Vioolconcert van Beethoven.

'Sorry dat ik u stoor,' zei Lena, 'ik zal mij even voorstellen: Lena Steketee. Heeft u vandaag een streep gezet?'

De jongen opende zijn ogen. 'Een streep,' zei hij, 'welzeker heb ik een streep gezet!'

'Ja,' zei Lena, 'het is een bespottelijke uitdrukking. Maar zo noemen ze het hier nu eenmaal.'

'U kunt ook vragen: "Heeft u een drol gedraaid?"'

Ze zette een forse streep onder het kopje 'ontlasting' op de kaart met zijn status, die aan het voeteneind van zijn bed hing.

'Heeft u trek in koffie? Of iets anders?'

'Slapen doe ik toch niet. Dus brengt u mij maar een bak van dat gore drab, dat ze hier koffie noemen. Met melk en veel suiker.'

'Beethoven?' treuzelde Lena. 'Vioolconcert in D?'

Ze kon het niet laten haar kennis van klassieke muziek te etaleren. Per slot van rekening was ze ermee opgegroeid en dit vioolconcert behoorde tot het repertoire dat haar moeder grijs draaide op de oude koffergrammofoon. 'Grumiaux?'

Gregory Peck keek verrast: 'Goh,' zei hij, 'dat u dat hoort.'

'Ach,' zei Lena vals bescheiden, 'mijn oren zijn gewassen in klassieke muziek. Deutsche Grammophon Gesellschaft. Stapels. En jazz natuurlijk,' vulde ze aan. 'Maar ik ga even koffie voor u halen.'

Ze kreeg hem aan de praat. En ze werd smoorverliefd.

Terwijl ze zijn kamer sopte – dat was op psychiatrie de taak van de verpleegsters – had hij de kans haar te bekijken. Hij dacht: Acceptabel. Misschien een iets te dik ruggetje.

Hij had een jaar wiskunde gestudeerd en was overgestapt op psychologie, maar was totaal vastgelopen. De professor probeerde erachter te komen wat hiervan de oorzaak was.

'Het is mijn vitaliteit,' zei hij tegen Lena, 'mijn vitaliteit is ernstig gestoord.'

Dat zullen wij dan eens even verhelpen, dacht Lena in haar twintigjarige overmoed. Maar die gedachte sprak ze niet uit, dat leek haar beter. En dan was er ook nog haar vriendje, haar 'verloofde', zoals ze vaak gekscherend zei. Ze hield nog wel van hem, maar meer als gewoonte.

'Het is over,' zei ze stoer. 'Ik ben verliefd geworden op een ander.'

Het vriendje van jaren wilde het niet geloven, had zijn toekomst met haar uitgestippeld. Na zijn studie medicijnen zou hij met haar naar Amerika gaan, zich specialiseren, kinderen krijgen enzovoort.

Waarom wilde ze niet meer?

'Hij heeft me nodig.'

Lena kletste maar wat. Gregory had haar helemaal niet nodig, hij leefde gewoon in zichzelf verzonken. En hij moest om haar lachen, luisterde geamuseerd naar haar woordenstroom.

'En jij moet hem troosten. Slecht verhaal, zeg! Dat is geen liefde, dat is medelijden.'

Ze namen een beetje raar afscheid van elkaar, haar eerste echte vriendje, zeg maar man, en Lena. Hij wrokkig, boos, zij vol vriendelijke liefde. En bedankt voor alles.

Met Gregory begon ze nu aan een baldadige periode. Ze nam de collega van de nachtdienst in vertrouwen en kroop gewoon bij hem in bed. Dat leidde tot weinig, de angst voor ontdekking was te groot. Zo besloten ze dat hij haar op haar kamertje op de zustergang boven in het ziekenhuis – verboden voor mannen – een bezoek zou brengen, vermomd als vrouw.

Gekleed in een neutrale regenjas, om zijn hoofd een sjaal geknoopt, schoot hij langs de portier naar binnen. Bij de lift wachtte Lena hem op. Ze bereikten zonder problemen haar kamer in het zusterhuis.

Radio Distributie, zoals de twee zenders die uit de bakelieten kast op haar kamer kwamen in 1953 heetten, stond op klassiek. Dat leek Lena het beste decor voor de gelegenheid. Maar de madrigalen leken niet erg geschikt als achtergrondmuziek voor het bedrijven van de liefde. Daarbij kwam dat Gregory een model herenonderbroek droeg dat Lena even de ogen deed sluiten. Ze wist sowieso weinig van herenondergoed, maar deze vlag sloeg alles.

Onhandig gerommel met licht frustrerend eindresultaat, dat was de oogst van dit vermetel avontuur. Bovendien vertelde Gregory binnen het kader van zijn gesprekstherapie bij de professor van zijn verovering: een jonge leerling-verpleegster.

De professor nam ogenblikkelijk maatregelen. Zuster Steketee, derdejaars leerling, werd op staande voet overgeplaatst naar de neurologische vrouwenafdeling, waar ze in het erotisch veld weinig onheil zou aanrichten. Direct ontslag werd ook overwogen, maar deze rampzalige beslissing werd wegens personeelstekort afgewend. En Gregory zocht een kamer in de stad, waar Lena hem ieder vrij uur kon bezoeken.

Ze had ook een gesprek met de wereldberoemde professor.

'Liefde is geen therapie, zuster Steketee!'

Ze zei niets. Maar ze dacht wederom: Dat zullen we dan nog wel eens zien!

Lena ontmoette Gregory's moeder tijdens een etentje in het restaurant van Tivoli, de plaatselijke schouwburg. Omdat ze 's avonds dienst had, speelde de maaltijd zich rijkelijk vroeg af, behalve zij drieën zat er in de eetzaal nog geen mens. Een rij obers stond afwachtend tegen de muur geplakt.

De kennismaking verliep wat stroef. Verzenuwd probeerde Lena de indruk te wekken dat het eten in restaurants voor haar de gewoonste zaak van de wereld was. Ze voelde de harde, donkere ogen van Gregory's moeder voortdurend op zich gericht.

Toen ze nogal haastig opstond, omdat om zes uur haar avonddienst begon, hielp Gregory haar in haar jas en bracht haar naar de uitgang.

'Je moet voortaan je mes en vork op je bord laten liggen, niet op het tafelkleed laten leunen. Dan loopt de jus eraf. Niet roeien dus!'

Goeie god, dacht Lena, terwijl ze op haar fiets naar het ziekenhuis jakkerde, tafelmanieren…

Na deze kennismaking vroeg Gregory of ze in haar eerste vrije weekend na veertien dagen nachtdienst met hem meeging naar zijn ouderlijk huis. Zijn vader, een rijzige man met sneeuwwit haar, kwam hen halen. Ze mocht naast hem zitten in de grote Peugeot, hij was goedgemutst en hield vriendelijk belangstellend het gesprek gaande.

'Bodias zal wel blij zijn je te zien,' zei hij tegen zijn zoon.

Bodias.

'Dat is mijn hond,' zei Gregory.

Een grote langharige, donkerbruine hond stormde naar buiten toen de vader de voordeur van de statige villa opende, sprong hoog tegen Gregory op en nam in zijn enthousiasme Lena mee in de liefdesbetuiging voor zijn baasje.

'Rustig!' riep Gregory. 'Het is een griffon,' legde hij Lena uit. 'Hij was ooit bedoeld voor de jacht. Maar hij is een beetje een sukkel. Dus laten ze hem tegenwoordig maar thuis wanneer ze op de eendenjacht gaan.'

Er was heerlijk eten, rundertong met een dikke, bruine saus, gember met dunne room toe, eten dat werd opgediend in een eetkamer met een doorgeefluik naar de keuken.

'Er komt storm,' sprak de vader. 'Ik hoorde zojuist op de radio dat de dijkbewaking is gewaarschuwd.'

Lena hielp afruimen. De huishoudster maakte koffie, die ze in de kamer met uitzicht op de rivier binnenbracht. 'Ik ga nog een paar brieven schrijven,' zei de moeder. 'Breng jij Lena straks naar haar kamer?'

De vader ging Bodias uitlaten. Lena zat naast de

enorme schouw, er brandde deze avond geen vuur.

Nu ging Gregory achter de vleugel zitten. Hij stak een sigaret op, preludeerde en zette 'As Time Goes By' in.

Hij is om op te vreten, dacht Lena verliefd terwijl ze naar hem keek, haar Gregory Peck, die, sigaret in zijn mondhoek, precies de enig juiste akkoorden aansloeg. Hoe vaak had ze moeten luisteren naar en zich ergeren aan pianoklungels die maar wat aanklooiden. De juiste akkoorden deden haar liefde opvlammen. Hij speelt net als Hoagy Carmichael, dacht ze, Jezus wat is ie knap!

De moeder stak haar hoofd om de hoek van de kamer. 'Ik ga naar bed. Ik zie jullie morgen aan het ontbijt. Welterusten.'

'Ik ga je naar je kamer brengen,' zei Gregory, nadat hij met een glissando zijn spel had afgerond.

Hij ging haar voor de trap op. En nog een trap, de zoldertrap. Kou kwam Lena tegemoet, hier brandde geen verwarming.

'Hier is het.' Gregory opende de deur van een kleine kamer met een smal eenpersoonsbed. 'Hier sliep vroeger de dienstbode.'

Lena sloeg haar armen om zijn hals. 'Kom je straks nog even?' bedelde ze.

'Tja... kan ik dat wel maken,' zei hij aarzelend, 'm'n ouders...'

Ze kleedde zich maar uit, kroop onder de ijskoude dekens en bleef ongerust luisteren of ze zijn voetstappen op de trap hoorde. Ja! Daar was hij!

Ze sloeg de dekens uitnodigend op. 'Kom erbij!'

'Ik blijf maar even, ik voel me nogal geremd met de ouwelui daar beneden.'

Hij kuste haar vluchtig. 'Ik zie je morgen.'

Daar lag ze dan, verlaten door haar nieuwe lover, alleen op een ijskoud dienstbodekamertje boven in een grote villa in de Hanzestad, en dacht met heimwee aan het warmbloedige vriendje dat ze zijn congé had gegeven.

Rond het huis wakkerde de wind aan tot orkaankracht en gierde van alle kanten om het dak. Die nacht braken in Zeeland de dijken.

Gregory werd, nadat hij afscheid had genomen van de gerenommeerde professor, nog een halfjaar opgenomen in Veluweland, een privékliniek voor goed gesitueerde patiënten. Op haar vrije dag fietste Lena ernaartoe, de kosten voor de treinreis gingen haar krappe salaris van leerling-verpleegster te boven. Gregory was stiller dan ooit, hoewel Lena met alle kracht die ze in zich had probeerde hem op te monteren.

Ten einde raad werd er besloten tot het laatste redmiddel in de psychiatrie in de jaren vijftig: de elektroshock.

Even, heel even, misschien maar een halve dag, leek er een doorbraak te komen. Lena trof hem op een ochtend, toen ze op de fiets voor dag en dauw was vertrokken, bij aankomst in een vreemde euforie. Hij begroette haar hartstochtelijk met een innige omhelzing, ze wist niet wat haar overkwam. Het leek haar een goed moment om haar plannen bekend te maken.

'Zodra ik eindexamen heb gedaan, ga ik naar Amsterdam. Ik wil schrijven, proberen bij een krant aan de slag te komen. Ga je mee?'

Amsterdam. Misschien kon hij daar zijn studie psychologie voortzetten, zijn kandidaats halen. 'Ja,' zei hij, 'een goed plan.'

Ze haalde moeiteloos haar diploma. De directeur van de privékliniek, een buitengewoon sympathieke psychiater met veel gezag, vroeg haar of ze eens met hem wilde praten.

'Voel je er iets voor om na je examen hier in de kliniek te komen werken?'

'O hemel,' zei Lena licht onthutst. Dit was een vraag waar ze totaal niet op verdacht was.

'Ik zie hoe je met je vriend omspringt. Je hebt talent. Je zou hier heel erg op je plaats zijn!'

Lena dacht na. Maar ze had zichzelf beloofd te kiezen voor een ander leven. Het ingekapselde bestaan in een ziekenhuis te midden van mensen die het leven als een ingewikkelde last ervoeren, benauwde haar. Op het eerste gezicht leek het of je hierdoor geweldig veel inzicht in dat leven verwierf, maar niets was minder waar: het zogenaamde gewone leven ging juist volledig aan je voorbij.

'Ik wil iets heel anders gaan doen,' zei ze. 'Ik ga naar Amsterdam. Ik wil gaan schrijven.'

'Wat een romantisch plan! Nu ja, het hoort bij je leeftijd. Maar mocht je je ooit bedenken, laat het me weten. Ik zou hier heel graag met je willen werken.'

Ze liep, vrolijk gestemd door de complimenten van de gezaghebbende directeur, door de tuin terug naar Gregory's kamer. Er kwam een ziekenauto het terrein op rijden, die stopte voor de villa waar de patienten met een slaapkuur waren gehuisvest. Ze treuzelde, keek nieuwsgierig hoe er iemand op een brancard naar binnen werd gedragen.

'Daar is Vestdijk. Komt een slaapkuur doen,' zei de zuster die ze bijna tegen het lijf liep.

Even dacht Lena: Toch wel leuk om hier te werken... Maar haar besluit om te gaan schrijven stond vast.

En ze vertrokken met z'n tweeën naar de hoofdstad. Door puur geluk vond Lena een lege zolder op de Oudezijds Voorburgwal. Gregory trok in bij een antroposofische familie, die hem met het oog op zijn depressie installeerde in een theerooskleurig vertrek.

Toen Lena zwanger werd, moest er getrouwd worden. Haar schoonfamilie gaf, met het oog op eventuele hebzucht van deze berooide schoondochter, hun zoon uitsluitend toestemming op huwelijkse voorwaarden met haar te trouwen, wat leidde tot een hilarisch bezoek aan een notaris waarbij hun beider eigendommen werden geïnventariseerd. Lena's inbreng bleek te bestaan uit twee oude hutkoffers met fotoalbums, boeken en een antieke doofpot van haar overgrootmoeder!

Lang voor de seksuele revolutie van de jaren zestig waren ze uitgesproken libertijns in hun opvattingen over huwelijkstrouw. Ze belandden alle twee in vreemde bedden, om na afloop van deze avonturen elkaar op smakelijke verhalen te trakteren. De experimenten gingen zo ver dat Lena zich plotseling niet alleen met Gregory maar ook met een goeie vriendin erbij tussen de lakens bevond…

Door het gebrek aan passie ging hun verbond een beetje lijken op een band tussen broer en zuster. In bed was het vooral gezellig. Ze lazen elkaar voor: Gregory liet Lena kennismaken met Winnie the Pooh, Paul Léautaud, Valéry Larbaud, Vercors. Lena had vooral een zwak voor poëzie van Gerrit Achterberg, wiens verzen ze met veel gevoel voor drama luid voorlas.

Uit een soort van beleefdheid bedreven ze af en toe de liefde en omdat de pil nog niet was uitgevonden leidde dat een beetje slordig tot een drietal kinderen.

Die eerste zwangerschap temperde Lena's ambitie om zich in de journalistiek te bekwamen door een baantje bij een krant te zoeken. Ze woonden in een kamertje van drie bij vier meter in een huis dat tot de laatste kast was onderverhuurd. Ze keken uit op een binnenplaats, een soort benauwde luchtkoker. Je kon in die kamer niet zien wat voor weer het was en zo had je nogal eens foute kleren aan wanneer je buiten kwam. Aan de achterkant van het huis was nog een kamer, die werd bewoond door een moeder van dertien kinderen, die genoeg had gekregen van haar gezin en nu samenwoonde met een tramconducteur. De conducteur hield 's ochtends de enige plee in het huis bezet, urenlang zat hij daar en rookte vele sigaretten terwijl hij de krant las.

Het kamertje van Lena en Gregory was eigenlijk de helft van een suite, waarvan de tussendeuren stevig dichtgetimmerd waren met board. In die aangrenzende kamer woonde een jong echtpaar, dat nog wel eens ruzie maakte. De vrouw stuurde de man het bed uit en de stakker moest op de grond verder slapen. Midden in de nacht, na wat zielig smeken, klom hij weer in bed, maar de vrouw was keihard en snauwde hem er weer uit.

Artis lag om de hoek. Wanneer het nacht was en alles stil, kon je de leeuwen en tijgers in Artis horen brullen. Artis was Lena's tuin, ze sjokte daar dikwijls rond met haar dikke buik vooruitgestoken en dan bedacht ze hoe leuk het zou zijn om hier met de kinderwagen rond te drentelen.

Na zo'n wandeling voelde ze iets dat op een echte wee leek. En waarachtig, na een minuut of vijf kwam dat gevoel terug. Ze werd opgewonden. Nu zou het eindelijk gaan gebeuren.

Gregory pakte zijn horloge en terwijl Lena nog snel zijn sokken waste, hield hij de weeën bij. Toen ze om de drie minuten kwamen, belde hij in de telefooncel op de hoek een taxi en vertrokken ze naar de kraamkliniek.

Hoe die dag omkwam, kon ze zich later nauwelijks herinneren. Af en toe kwam er een dokter kijken en verdween weer. Ze kreeg een injectie om zich te ontspannen. Eindelijk kwamen de weeën sneller, ze waren haast niet meer van elkaar te onderscheiden en Lena had veel werk om diep en dan weer oppervlakkig adem te halen.

Om kwart voor zeven meende de dokter haar te

moeten aansporen door te zeggen: 'Wanneer hij er nou niet uit komt gaat ie kapot!'

Dat liet Lena niet op zich zitten. Haar mooie nieuwe kind kapot! Waren ze nou helemaal belazerd!

Ze perste en perste en perste... ze barstte haast uit elkaar!

En ja hoor...

'Daar is het hoofdje!' riep Gregory, die er met zijn neus bijna bovenop stond.

Nog één keer leverde Lena een geweldige krachtsinspanning... en haar zoon, haar eersteling was geboren.

Er volgden nog een jongen en een meisje. De kinderen, die vervulden hen beiden met verbazing en geluk.

Maar Lena was te jong om in zo'n bezadigde relatie tevreden te blijven. Haar lichaam hunkerde naar erotisch plezier: ze ging steeds beter begrijpen dat de professor gelijk had gehad. Liefde bleek geen therapie.

Op een stralende voorjaarsdag stond ze, hoogzwanger van haar derde kind, op de tram. Ze keek een beetje treurig naar de blauwe lucht en dacht: Is dat nou alles?

Maar de gedachte zonder Gregory verder te leven... Gregory, die nog steeds zo makkelijk swingend pianospeelde, met de nonchalante sigaret in de hoek van zijn mond bungelend. Of de vurige manier waarop hij de solosonates van Bach op de viool attaqueerde: Bach, de enige muziek waaruit zijn eenzame ziel werkelijk troost putte.

Na een jaar of vier van groeiende onrust bezocht ze de professor bij wie Gregory in therapie was en bij wie ze begrip zocht voor haar niet al te gelukkig leven.

Hij hoorde haar aan en sprak: 'Wanneer u bij hem weggaat, gaat hij naar de verdommenis.'

Daardoor deed Lena er nog zes jaar over voor ze eindelijk durfde te kiezen voor zichzelf en haar kinderen.

Laat in haar leven werd ze soms wakker uit een gelukkige droom. In een mistig landschap zat ze in het gras, met haar drie kleine kinderen op schoot, naast zich, om zich heen.

Gregory was bij hen, met een boek op zijn knieën. Las hij voor?

De droom verbleekte. Ze schoot rechtop, wreef in haar ogen. Weg. Het vreemde geluksgevoel bleef nog de hele dag hangen.

Lena liep de tuin in, ontstemd.

Ze was weggelopen bij een gesprek waarbij het haar steeds duidelijker werd dat ze er voor spek en bonen bij zat. Haar volwassen kinderen en een stel van hun vrienden waren in een vurig betoog gewikkeld over opvoeden. In eerste instantie nam Lena vanzelfsprekend en enthousiast deel aan het discours. Per slot van rekening had ze al die kinderen opgevoed tot verantwoordelijke volwassenen, het was toch legitiem dat ze haar mening ventileerde? Bovendien was ze nog steeds een participerend werkend lid van de maatschappij, betaalde belasting en was geregistreerd als zzp'er.

Toch voelde ze zich gedurende dat gesprek langzaam maar zeker totaal overbodig worden. Iets wat bleek toen ze opstond. Ze schoven alleen maar dichter naar elkaar, haar lege stoel wegduwend.

Nu liep ze dan in de tuin, kwaad. Er was nog iets anders, en daar maakte ze zich zorgen over.

Goedgemutst wakker geworden had ze 's ochtends het bad vol laten lopen en een flinke dot schuim aan het water toegevoegd. Langzaam kleedde ze zich uit, stapte op de weegschaal en stelde tot haar tevredenheid vast dat haar gewicht mooi stabiel bleef op het streefcijfer. Vervolgens hief ze haar rechterbeen om in het water te stappen.

Gadverdamme! IJskoud! Had ze weer vergeten de warme kraan open te zetten!

Ze moest er bijna een beetje van janken. Dat hele bad weer laten leeglopen, om vervolgens opnieuw...

Toen ze dan met een diepe zucht eindelijk haar badritueel had voltooid en zich gedachteloos had aangekleed, zag ze in de spiegel dat ze haar T-shirt binnenstebuiten had aangetrokken. Moedeloos draaide ze het kledingstuk maar weer goed om ten slotte lichtelijk uitgeput op een stoel te zakken en haar koffie te drinken.

Ze begon fouten te maken. Schreef de verkeerde datum boven brieven. Vergat afspraken bij de kapper. Feliciteerde vrienden op verkeerde verjaardagen.

'Ach, dat hebben we allemaal, moes!' bagatelliseerde haar dochter met wie ze haar zorgen deelde, 'dat is je kortetermijngeheugen. Heb ik ook.'

Even gerustgesteld leefde Lena weer verder. Maar op een gure herfstavond stond ze in Olst voor een donkere dichte bibliotheek waar ze dacht verwacht te worden om uit haar columns voor te lezen. Er fietste een man langs, die vrolijk riep: 'U bent een dag te vroeg, mevrouw Steketee!' Ze werd zich met een schok ervan bewust dat ze vanavond ergens in een dorp boven Delfzijl bij artsenvrouwen een praatje moest houden, en raakte in paniek.

In het dorpscafé vroeg ze of ze even mocht bellen. Zenuwachtig rommelde ze in haar tas naar het contract, waar een telefoonnummer op moest staan, en belde de voorzitster.

'Mevrouw Steketee, waar blijft u? Wij zitten hier al een halfuur op u te wachten!'

'Alsjeblieft, mevrouw Voordewind, neem op mijn rekening allemaal een kop koffie met iets lekkers erbij. Ik ben per ongeluk in Olst gestrand, maar ik beloof u plechtig dat ik het helemaal goed kom maken!'

De voorzitster klonk zuinig: 'Dat zal moeilijk gaan, mevrouw Steketee. Ons jaarprogramma voor volgend jaar is volgeboekt. En hoe moet ik dan in 's hemelsnaam deze verenigingsavond vullen?! Honderdvijftig dames hebben zich op deze avond verheugd. Op u! Die zijn voor niets gekomen. Ik weet me geen raad!'

Wanhopig antwoordde Lena: 'Bedenkt u maar iets waarmee ik het kan goedmaken. Ik laat u hierin de vrije hand. Desnoods kom ik op een middag...'

'We zullen zien,' klonk het kwaad en afgemeten. 'Ik ga nu terug naar de dames. Het beste, mevrouw Steketee. En houd uw agenda beter bij!'

Ze reed langs de IJsseldijk weg uit Olst, terug naar huis.

Dementie. Zou dat onomkeerbare proces hebben ingezet?

Al jaren maakte zij zich met vriendinnen vrolijk over die aftakeling, alsof zij met z'n allen, door er de grofste grappen over te maken, die dreigende toekomst konden afwenden. Maar de confrontatie met die ziekte werd steeds duidelijker. Je kon de televisie niet aanzetten of je werd getrakteerd op verslagen van mensen wier geest aftakelde. Er ging ook vrijwel geen week voorbij of kranten en weekbladen herinnerden je aan wat er allemaal boven je oude hoofd hing.

En de verhalen…

'Mijn moeder, die nog steeds zelfstandig alleen woont, heeft de rooie kater van de buren gestolen. Ze wil hem niet teruggeven, ze beweert dat het een zwerfpoes is die bij haar is komen aanlopen! We hebben werkelijk hemel en aarde moeten bewegen zodat ze die poes weer liet gaan.'

Agnes vertelde het voorval smeuïg, ze moesten er erg om lachen. Maar het maakte bij de andere vriendinnen ook verhalen los, het ene nog grimmiger dan het andere. Zoals de stokdove tante van Lies, die genoot van haar laatste levensstandplaats in een verzorgingshuis: '"s Avonds doet mijn tante haar gehoorapparaat uit, dan hoort ze absoluut niets meer. Nu is haar telefoonrekening de laatste twee maanden opgelopen tot honderdnegenentachtig euro, terwijl die schat helemaal nooit belt!'

Carolien: 'Wanneer ik mijn vader bezoek, neemt hij me altijd apart in een hoekje. "Je krijgt hier niets te eten! Heb jij iets bij je?" En dan weet je dat ze hun middagmaal juist achter de kiezen hebben.'

Maar het schrijnendst was toch het verhaal van de

oude vrouw die een liefdesrelatie begon met een twintig jaar jongere dementerende medebewoner van de verzorgingsflat waar zij al jaren met haar wettige echtgenoot leefde. Die relatie liep op een bizarre manier uit de hand.

Ze schonk al de onderbroeken van haar echtgenoot aan haar lover... Haar emotionele wereld werd zo chaotisch dat zij haar nieuwe verloofde ook mee naar huis nam en gewoon tegenover haar eigen man hand in hand met hem op de bank ging zitten!

Deze verhalen leverden veel hilariteit op bij de oude meisjes, die zich intussen angstig afvroegen wanneer dat vermaledijde zogenaamde kortetermijngeheugen zou doorslaan naar een duistere onbekende wereld. Grote gaten zouden zich manifesteren in de grijze cellen van hun frontale kwabben, waardoor ze de weg in zichzelf kwijt zouden raken.

Kees en Lena konden nog wel smakelijk lachen. Voor een willekeurige toehoorder viel een telefoongesprek tussen hen niet te volgen.

'Lena, hoe heet toch die man, je weet wel, die getrouwd is met dat mens met dat oranje geverfde haar, ze wonen op de hoek van de... kom, hoe heet dat plein ook alweer, waar die grote bloeiende bomen in april altijd zo heerlijk ruiken! Zij draagt altijd van die gekleurde panty's... en die man, die heeft zijn zaak verkocht. Tenminste, verkocht, hij heeft een hersenbloeding gehad, en nu is er iemand, de zoon van onze tandarts... ach hoe heet ie ook alweer, met zijn derde vrouw die vroeger getrouwd was met... haar naam schiet me even niet te binnen, die heeft hem belazerd. Nu zijn ze alles kwijt!'

'Wie?'

Waarom stond de lege mand van Karel nog steeds naast de gaskachel, met daarin zijn speeltjes: harde gele rubberbal en nepkluif?

In een slapeloze maanverlichte nacht zat Lena er een poosje peinzend naar te kijken. Welke hoop werd hier levend gehouden? Moest ze die oude mand met stukgebeten rieten randen niet eens wegdoen? Of moest ze, tegen alle adviezen van haar goedbedoelende kinderen, kleinkinderen en vrienden in, de teckelclub bellen en vragen of er ergens een nest jonge cognackleurige of black and tan teckels was? Of op stapel stond?

Vanochtend had ze op het pad langs het water een echtpaar ontmoet met drie enorme, buitengewoon langharige honden. Ze stond bewonderend stil. 'Wat een mooie dieren!'

De vrouw barstte los in jubelende adjectieven: 'O, maar ze zijn niet alleen mooi, ze zijn vooral ontzettend lief!'

De man viel haar bij: 'Geweldig lieve dieren! Schatten zijn het!'

Lena wilde hun trotse ingenomenheid met het harig bezit niet verpesten door te vragen naar de vlooien en teken die ongetwijfeld in die overdadig lange beharing wilden leven. Hoe ze de dieren schoonhielden: onder de douche of door ze te laten zwemmen? In buitenwater?

'Waar laat u ze slapen?' Ze visualiseerde het echtpaar in een enorm bed, waarop ook de harige schatten met uitgespreide poten lagen te snurken.

'Ze hebben hun eigen kamer,' zei de vrouw monter.

'En hun eigen matras,' vulde de man aan.

Lena bedwong met moeite haar verreikende nieuwsgierigheid: Had het stel kinderen? Waren de honden hun enige hobby? Lazen ze wel eens een boek of gingen ze naar de film? En hoe deden ze het met een vakantie? Maar ze hield zich in, bovendien trokken de enorme dieren hun baas en bazin met kracht vooruit.

'Nou, veel plezier met ze!' riep Lena ze achterna.

'Dank u!' riep de vrouw over haar schouder. En voort gingen ze met hun halve kennel.

Maar de confrontatie met het stel, dat zo gelukkig opging in hun dieren, zette haar weer aan het denken. En Kareltjes lege mand scherpte het gemis van een levend wezen in haar huis extra aan.

Ze had juist vijf hectische weken doorgebracht met ongeveer haar hele familie: kinderen en kleinkinderen in alle leeftijden en jaargangen hadden bezit genomen van haar huis. Met moeite hield Lena haar territorium vrij, de voorkamer met de werktafel en uitzicht op het water probeerde ze tot heilige grond te verklaren. Maar menig kleinkind stommelde de zorgvuldig door haar geplaatste piketpaaltjes omver:

'Oma, mag ik papier? Oma, heb je een verfdoos? Een nagelschaartje? Een pleister? Iets tegen de muggen?' En de hamvraag: 'Gaan we nog iets leuks doen?'

Iets leuks.

Nadat ze hadden gevaren, gezwommen en geschommeld, er kleffe koekjes waren gebakken, voorgelezen en ze hun te harde cd's had moeten aanhoren, was ze uitgeput. 'Iets leuks.'

'Oma moet even een dutje doen,' zei ze laf. Zo probeerde ze zich een uurtje vrij te spelen. 'En dán gaan we weer wat leuks doen.'

Maar wanneer ze dan allemaal weer vertrokken waren, ging ze ze verschrikkelijk missen. De stilte ging bijna lawaai maken, suizen, zo intens stil was het na het vertrek van al dat nageslacht, de een nog aantrekkelijker, slimmer en aanhankelijker dan de ander. Echte voorkeur had ze niet, maar de vier kleindochters maakten haar diep gelukkig, niet in de laatste plaats omdat ze onderling zo uitstekend met elkaar overweg konden. De oudste, zestien, half vrouw, half heftige puber, was het idool van de andere drie. Als de rattenvanger van Hamelen liep ze voorop, de meisjes van zes, vier en waggelende anderhalf adorerend in haar kielzog. Ze was absoluut getalenteerd in het bezighouden van kleine meisjes en ze zorgde dat Lena af en toe haar handen vrij had om haar stukjes te schrijven.

'Een hond,' mompelde ze binnensmonds, 'dat zou voor de kinderen ook leuk zijn. Die konden ze dan fijn uitlaten!'

Ze had de voor- en nadelen van een hond met ze besproken en ze waren het met haar eens dat vier keer per dag door weer en wind een hond uitlaten toch een beetje te veel voor haar zou zijn.

'Maar waarom neem je dan geen poes, oma? Of twee?' had de kleindochter van zes gevraagd. 'Die zorgen voor zichzelf, en met een kattenluikje hoef je ze ook niet uit te laten.'

Poezen. Ook poezen hadden jarenlang met haar het leven gedeeld. In de tuin lag een heel kerkhof van alle poezen en de drie teckels. Onder de maagdenpalm lagen ze, Kareltje als laatste.

Poezen, ook goed gezelschap. Natuurlijk, Lena had niets tegen poezen. Maar met een poes kon je niet dansen.

Lena rouwde.

Ze kon geen ander woord bedenken voor het gevoel dat haar de laatste tijd in slapeloze nachten beving. Dan miste ze de vrienden met wie ze vroeger, ook 's nachts, urenlang belde, lachte en praatte, tot ze tollend van slaap maar zielstevreden de hoorn erop legde. De laatste jaren waren ze haar een voor een ontvallen. Morsdood waren ze.

Ze moest terugdenken aan haar tachtigjarige grootmoeder die lang geleden bij haar logeerde. Lena was drieëntwintig en in verwachting van haar tweede kind. Ze had altijd onthouden wat haar omaatje toen treurig vaststelde: 'Niemand noemt mij meer Marie!'

Nu leefde ze zelf in het barre landschap dat steeds minder werd bevolkt door vrienden en vriendinnen van haar generatie, die nog begrepen waar je over sprak. Met wie je de kennis kon delen over personen en gebeurtenissen waarvan je kinderen en hun vrienden niets wisten.

Ze miste ook de oude dames wier lot ze zich in haar jonge jaren had aangetrokken. Het waren er nogal wat: Liane, haar eerste ex-schoonmoeder, een statige, grote vrouw die Lena tot aan haar dood op tweeennegentigjarige leeftijd kwalijk nam dat ze Gregory, haar lievelingszoon, van haar had afgepikt.

Daardoor was er een merkwaardige haat-liefdeverhouding gegroeid, die Lena er toch niet van weerhield haar met verjaar- en feestdagen attenties te sturen en daarmee het contact te onderhouden. Ook na de dood van Gregory hield Lena de relatie gaande.

'Waarom ben jij aardig tegen mij?' vroeg Liane plotseling, na het ontvangen van een tiental roze rozen ter gelegenheid van haar verjaardag. Roze, omdat Lena had onthouden dat Liane daar dol op was.

Even stond Lena met haar mond vol tanden. Maar toen besloot ze de vraag maar net zo rechtstreeks te beantwoorden als hij werd gesteld. 'Omdat u de grootmoeder van mijn kinderen bent.'

Na deze korte openhartige uitwisseling van gedachten over hun wederzijdse relatie veranderde er iets. Maar er was nog iets, wat Lena maar voor zich hield: een gevoel van respect voor de oude dame met haar rechte rug en haar vermogen zich in haar eentje door het leven te slaan. Er kwam daardoor misschien ook meer warmte in de toon van de inmiddels tachtigjarige vrouw, alleen gebleven na de dood van een liefdeloze echtgenoot en haar twee zoons, van wie er één zich koel en diep onverschillig tegenover zijn moeder had gedragen, en de ander, Gregory, geveld werd door een diepe depressie.

Een enkele keer werd Liane plotseling vertrouwelijk.

'Weet je, Lena? Ik had zo graag in een chique winkel receptioniste willen zijn. Bijvoorbeeld bij Bonebakker, de juwelier op het Rokin. Dat zou echt iets voor mij zijn geweest. Maar ja, daarvoor is het te laat. Daar ben ik nu echt te oud voor.'

Maar dit argument weerhield haar er niet van om zich op haar tweeëntachtigste bij het UVV, de Unie van Vrouwelijke Vrijwilligers, op te geven als huishoudelijke hulp. Bij oude mensen!

Zo kwam ze terecht bij een stokoud echtpaar om licht huishoudelijk werk te verrichten, werk dat voornamelijk bestond uit stof afnemen en koffiezetten. Op een ochtend belde ze Lena op, razend van woede: 'Moet je horen wat ze me hebben geflikt! Ze hadden onder de fruitschaal een briefje van tien neergelegd, om te kijken of ik het zou jatten! Ik heb het met een groot gebaar aan ze gegeven. "Alstublieft," heb ik gezegd, "dit bent u zeker kwijt!" '

En ieder jaar weer, tegen Kerstmis, stond Lena in de cadeauwinkel en zocht met aandacht iets aardigs uit voor oma Liane, iets wat getuigde van haar gevoelens: een nepkerstboompje met kleine lampjes of een bak met kerstrozen. Met Pasen stuurde ze narcissen of een doos paaseitjes en met haar verjaardag weer de roze rozen: een perpetuum mobile van goed getimede attenties.

Dan werd ze door de oude dame gebeld: 'Dank, dank! En kom je nou eens langs?'

Maar daarvoor had ze nooit tijd.

Haar tweede ex-schoonmoeder, Christien, bleef ze na de scheiding ook koesteren. Lena voelde sympathie voor het kleine vrouwtje, hoewel ze in gesprekken met haar nooit tot de kern kon komen. Op het ogenblik dat er een zinnige conclusie in zicht kwam had zij de gewoonte iets te zeggen in de trant van: 'O god, ik moet de aardappels afgieten!', waardoor Lena altijd hoogst onbevredigd met een klont in haar maagstreek bleef zitten. Maar de kinderen waren dol op deze klassieke grootmoeder, die grote truien van Hemawol voor hen breide met ingewikkelde Noorse patronen, truien die uitrekten en jarenlang met hen meegroeiden.

Ze was ook dol op spelletjes en kon eindeloos met de kleinkinderen kaarten, waarbij ze formidabel vals speelde maar dat eeuwig ontkende. Lena verwende haar graag met van alles en nog wat: mooie tassen, flessen parfum, cadeautjes meegebracht van buitenlandse reizen. Oma ging ook mee met de vakanties naar Bretagne, waar ze op het strand breiend plaatsnam onder een parasol. Ze las graag en gretig alles wat ze te pakken kon krijgen. Zelfs Proust werd door haar ijverig verorberd: 'Mooi boek!' zei ze enthousiast, toen ze drie delen van de verloren tijd had doorgewerkt.

Na Lena's scheiding van haar zoon riep deze: 'Ze is je schoondochter niet meer!' Waarop ze terugriep: 'Ze is mijn schoondochter en ze blijft mijn schoondochter!'

Toen Christien op haar vijfentachtigste nog een verse weduwnaar aan de haak sloeg en na een leven vol teleurstelling in de liefde met deze late nieuwe relatie nog mooie nadagen mocht beleven, sprak ze enthousiast tegen Lena: 'Kind, ik hoop dat jij ook nog eens het geluk mag vinden!'

Het stokoude paar, in aparte huizen gevestigd, besloot hun latrelatie op te geven en te gaan samenwonen. Lena zocht ze op in de nieuwe behuizing, een royale aanleunwoning. Christien leidde haar rond en opende de deur naar de kamer waarin een groot tweepersoonsbed stond.

'Ziehier het slaapveld!' riep ze trots en triomfantelijk. Weduwnaar Nol stond glimmend van trots achter haar. Hij vond haar schattig.

Lena bleef Christien verwennen. Ze hield oprecht van het kleine omaatje, dat op haar oude dag nog zo stralend gelukkig werd met haar weduwnaar. Ze genoten met z'n tweeën van het leven, van een likeurtje na het eten, van de kerkdienst op de radio.

Af en toe besloot het stel Lena te bezoeken. Nol had een oude DAF, maar hij vond niet meteen de juiste afslag naar Lena's huis, zodat ze langdurig op de ringweg bleven rondrijden, tot ze besloten in 's hemelsnaam maar de eerste de beste zijweg in te slaan. Lena had ongerust zitten wachten, en was geweldig opgelucht toen het paar, verontwaardigd over de verkeersborden die naar hun smaak niet duidelijk genoeg waren, eindelijk arriveerde.

En wanneer Lena na een bezoekje in de aanleunwoning vertrok en omkeek, stonden Nol en Christien haar achter het raam hartelijk na te zwaaien tot ze uit het zicht was verdwenen.

Christien was bijna zevenennegentig toen ze genoeg van het leven had. Ze was moe en wilde slapen. Dus ging ze op bed liggen en sliep vredig in.

Lena miste haar nog steeds.

Misschien was haar liefste oude vriendin toch Teuntje, haar buurvrouw uit het dorp. Het was wederzijdse diepe affectie, die Lena steeds weer naar haar toe dreef.

Ze woonde na de dood van Lippe, haar man, die jaren geleden tijdens een bezoek aan de slager een hersenbloeding kreeg en op slag dood viel, in een klein bejaardenhuisje, samen met een kanariepiet.

Teuntje kende Lena door en door en doorzag haar wanneer ze uitvluchten zocht voor de niet-nagekomen afspraken of verzuimde bezoekjes, waardoor ze zich voortdurend schuldig voelde. Dan kocht ze haar gevoel van eeuwig verzuim af met plengoffers, bloemen en lekkere dingen.

En toch, wanneer ze dan weer eens tijd vond om bij haar langs te gaan, waren dat weldadige ogenblikken. Teuntje zei moederlijke dingen over het leven en de liefde, waaraan Lena zich optrok.

'Werk jij niet te hard?' vroeg ze. 'Is dat nou nog nodig? Je kan toch ook met wat minder toe?'

Daar ging Lena maar niet op in. Hoe kon ze Teuntje uitleggen hoe haar rare drukke leven in elkaar zat?

Teuntje was nooit verder buiten het dorp geweest dan Emmeloord. Haar wereld was klein en werd na de dood van Lippe steeds kleiner.

Maar toch was Teuntje misschien wel degene die haar het meest deed denken aan haar veel te jong gestorven moeder, omdat je ook zo hartelijk met haar kon lachen. Ze kon oergeestig uit de hoek komen, keek scherp naar de mensen.

Ze hield Lena enthousiast op de hoogte van wat er gaande was bij de buren en de overburen, wat de tamtam allemaal rondtrommelde over de mensen uit het oude dorp, de schandalige verhalen van overspel en bedrog, terwijl de kanariepiet zich steeds luider boven het gesprek uit zong.

Dan boog ze zich voorover naar Lena, keek over haar schouder of niemand meeluisterde en begon op gedempte toon te vertellen. 'Je weet wel, Oene, dat is er ene van Gerard van de overkant, die achter de wal woont in dat kleine huisje, die...'

En dan kwam er een verhaal over hoe 'die brutale jongens' Oene het water in gedreven hadden. 'Hij was toch echt bijna verdronken!'

Bij Teuntje was Lena thuis en ontspannen. Ze dronk slappe koffie met te veel melk, liet zich verwennen met koekjes uit een trommeltje en beloofde snel weer te komen. Om haar dan vervolgens weer veel te lang te laten wachten op een volgend bezoek.

Er waren meer oude dames van wie ze het gevoel had dat ze op haar rekenden. Zoals de oude actrice, die zich vriendin noemde maar die Lena gebruikte voor allerlei hand-en-spandiensten en daar soms een raar machtsspelletje van maakte. Het was een relatie die bij Lena voortdurend tot diepe frustratie leidde.

Lena wist van vrienden dat Thérèse als buitengewoon lastig werd gezien. Maar wanneer de negentigjarige haar vroeg of ze haar werkster mocht lenen, bezweek ze weer.

De werkster kwam in tranen bij haar terug.

'Ze heeft geprobeerd me over jou uit te horen!' snikte ze, 'ze dreef me werkelijk zo gigantisch in het nauw! Of ik wist wat je verdiende. En of je veel weg was. Ik ga daar niet meer naartoe. Laat ze zelf de plee maar soppen!'

Dit ging Lena te ver. Ze verzamelde al haar moed, belde Thérèse en zei de vriendschap op.

'Hè hè!' verzuchtten haar kinderen, 'eindelijk!'

Lena nodigde Nora, de hospita van een van haar allerbeste vrienden, die ze maar zielig en eenzaam vond, uit voor het kerstdiner. Eenmaal aan tafel gezeten begon ze kritiek te leveren.

'God, wat is die kip zout zeg! Ja, zie je, ik ben eigenlijk zoutloos vanwege mijn bloeddruk!'

Lena reikte haar de zelfgemaakte appelmoes aan.

'Heb je die zelf gemaakt? Er zitten wel veel brokjes in, heb je ze niet gezeefd?'

De kinderen wisselden blikken met elkaar, Lena werd er erg ongelukkig van.

Maar toen Nora de juskom omstootte op haar

mooi gedekte kersttafel, verloor ze bijna haar geduld. Haar gezellige kerstdinertje en haar mooie tafel waren verpest.

Ze besloot Nora voortaan alleen nog in haar eigen huis te bezoeken.

Een speciale band onderhield ze met de eenzame bejaarde eigenaresse van de koffieshop waar Lena, wanneer ze haar kinderen naar school had gebracht, boven een cappuccino bijkwam.

Lena verdronk in medelijden toen ze achter het geheim van de chagrijnige vrouw kwam: dertig jaar geleden had zij haar enige zoontje bij een verkeersongeluk verloren.

Door deze wetenschap stond Lena open voor alle wensen van deze 'vriendin', wensen die vooral het vervoer van en naar allerlei vakantiebestemmingen en weekenduitstapjes betroffen.

'Mam, ben je nou helemaal gestoord! Nou kan je niet eens met ons mee naar de hockeywedstrijd omdat je Clara naar Terschelling moet brengen!'

Lena knikte schuldbewust. Haar kinderen snapten niets van hun moeders affectie voor 'al die lastige ouwe krengen'. En eigenlijk snapte ze het zelf ook niet.

In slapeloze nachten dacht Lena nog wel eens aan hen terug. Hoe was het godsmogelijk dat ze zich door de hoogbejaarde vrouwen had laten ringeloren en koeioneren en hun wensen tot op het belachelijke vervulde. Hoe ze de banden met die kudde rare oude vriendinnen – voor wie ze ook een heel klein beetje bang was, terwijl ze tegelijkertijd niets liever deed dan hun wensen, echte en vermeende – te vervullen, door dik en dun in stand hield. En hoe ze probeerde ze tevreden en gelukkig te maken op een manier die haar kinderen verbaasd en een beetje verongelijkt de wenkbrauwen deed optrekken.

'Maar die rare behoefte is voorbij!' zei ze hardop tegen zichzelf en stond op om een kopje goedenachtrustthee te maken. 'Ik ben nu zelf oud.'

Die vaststelling maakte haar rustig en verdreef haar sombere stemming.

Met kleine slokjes dronk ze, terwijl ze de avondkrant pakte. Een vette kop trok haar aandacht. 'Hond scoort hoger dan partner.'

'Het gezelschap van een hond geeft meer voldoening dan de vaste partner,' las Lena. '8,7 krijgt de hond op de schaal van affectie, terwijl de partner er bekaaid afkomt met een magere 7,3! Ook slaapt de hond regelmatig in bed.'

De klok in de keuken sloeg drie uur. Lena vouwde de krant dicht, geeuwde intens en kroop onder de dekens.

'Misschien moet ik toch een hond nemen,' mompelde ze in zichzelf tot ze wegzonk in een diepe slaap.

'Drie keer per week moeten ze ermee naar school. Naar Martin Gaus! Daar moeten ze samen met hem trainen. Op gehoorzaamheid. Op luisteren naar bevelen. En dan hangen er in de keuken lijsten met die bevelen, waar we ons aan moeten houden. Nou... iedereen houdt zich eraan, behalve die hond!'

'Wat is dat dan voor een hond?' Lena keek naar de opgewonden verontwaardiging op het gezicht van de buurvrouw van vijf huizen verder langs het pad. Terry heette ze. Eigenlijk ook een hondennaam, dacht Lena, wie heet er nou Terry?

'Ja, hoe heet zo'n beest ook alweer? Hij is groot. En harig. Zwarte kleren kan ik bij mijn kinderen niet meer dragen, ik zit in no time onder de hondenharen!'

'En wat voor bevelen geef je hem dan?'

'We zetten zijn eten klaar, in z'n bak. Hij zit ernaar te staren. Wij roepen "Stop!" Hij kwijlt, piept zachtjes en pas wanneer wij zeggen "Go!", stuift hij op zijn bak af en slobbert alles achter elkaar leeg. Ook het voer van de katten. En de waterbak!'

'Is het een herder?' vroeg Lena door. 'Wat voor kleur heeft ie?'

'Nee, het is geen herder, het is meer een kruising tussen... ja, hoe heet zo'n beest ook alweer... een golden retriever... en een labrador. Beige is ie. Of eigenlijk meer blond. Ja, ik zou het blond noemen. En hij molt alles. Alles! Sokken. Schoenen. Pantoffels!'

Lena dacht aan Kareltje, die per jaar één paar verse harige sloffen langzaam maar zeker wegknaagde. En hoe hij onder tafel altijd de sokken van de visite kapotbeet.

'Is hij wel lief?'

'Hij is een zij. Ja, hoe zal ik het zeggen. Hij is enthousiast, ik bedoel, er zit absoluut geen kwaad bij, maar hij is zo vreselijk enthousiast! Als ik binnenkom, gooit hij me bijna omver. Of als hij met modderpoten uit de tuin komt... weer een soort omhelzing! En als ik hem uitlaat trekt hij me voort, hij sleurt me in galop achter zich aan! Niet te houden!'

Lena zag het voor zich: de kleine mollige Terry voortgesleurd door een enorme blonde hond.

Eén ding wist ze zeker. Zou er in haar leven ooit nog sprake zijn van een hond, dan moest hij klein zijn. Kortharig. Hij moest in een boodschappentas passen. Nee, maar geen jack russell, dat waren van die dominante krengen.

Nou ja, eigenlijk kwam alleen een teckel in aanmerking. Een black and tan gladhaar. Of desnoods een cognackleurige. Ook goed. Maar zeker geen overaanhankelijke grote lobbes. Absoluut niet. Zij moest wel de baas zijn, niet overruled worden door een hond.

'Kom binnen. Ik heb je nog gebeld, je was er niet en het antwoordapparaat stond ook niet aan, ik kon je dus niet uitnodigen voor vanavond.'

Lies trok Lena bijna naar binnen.

'Ik kom alleen maar de NRC van zaterdag brengen.'

'Maar nu je er toch bent, trek je jas uit. We hebben je echt nodig.'

Gedwee ontdeed Lena zich van haar jas. Ze was absoluut niet van plan lang te blijven, maar toen Lies de kamerdeur opende en ze daar een aantal buurvrouwen van het pad zag zitten, begreep ze dat ze zich nu niet meer kon terugtrekken.

'Wat zijn jullie aan het doen?'

'Ga zitten. Wil je koffie?'

Lena nam plaats op de lege stoel naast Terry.

'Waarom zitten jullie in godsnaam hier bij elkaar?'

Terwijl Lies met de koffie redderde, legde ze uit wat de bedoeling van de bijeenkomst was.

'We willen ons beraden wat we kunnen doen om ons een beetje veiliger te voelen. Kijk eens naar Ruth. Moet je zien hoe ze eruitziet!'

Lena keek naar Ruth. Zij woonde helemaal aan het eind van het dorp aan het pad langs het water, het meest afgelegen van allemaal. Ruth draaide haar gezicht naar Lena en toonde een enorm blauw oog. Nu ja, blauw, haar oog zat eigenlijk helemaal dicht in een bijna zwart verkleurde bloeduitstorting.

'Wat is er met jou gebeurd?'

'Ze is beroofd. Op klaarlichte dag. In Steenwijk, in dat smalle straatje achter Albert Heijn en de Markt.' Lies tetterde maar door.

Gelukkig bleek Ruth zelf ook in staat om verslag te doen. 'Ik stak dóór om eerder bij de brillenwinkel te zijn. Komt er een knul op een brommer, die begint aan mijn tas te rukken. Ik liet niet los, maar hij trok zo vreselijk hard dat ik op de grond viel. Met m'n hoofd op de stoeprand.'

'Wat afschuwelijk! En je tas?'

'Ik heb zo verschrikkelijk hard gegild. Hij is heel hard weggereden, met m'n tas, met alles erin!'

'Zeg, Lena, jij bent laatst toch ook beroofd? Bij de pinautomaat?'

'Ach jongens, dat is alweer een paar maanden geleden. En ik heb alles teruggekregen. Ik las laatst wat het de banken kost om al dat onterecht gepinde geld aan de mensen terug te betalen. Dat loopt in de miljoenen!'

'Meisjes!' Paula, de gescheiden bewoonster van het voormalige huis van de brugwachter, sprak haar vriendinnen gewoonlijk met 'meisjes' aan. 'Ik heb jullie bij elkaar geroepen omdat ik het de hoogste tijd vind dat wij iets ondernemen tegen al het geweld dat op onze leeftijdsgenoten wordt losgelaten. Toevallig luisterde ik vorige week zondagochtend op de radio naar *De Andere Wereld* van de IKON. Ik lag nog in bed, maar het was zo gruwelijk wat er werd verteld, dat ik het niet meer uithield en ben opgestaan.'

'Dat jij daar trek in hebt,' zei Ruth opstandig. 'Ik heb genoeg aan mijn eigen sores. Zodra ik in bed lig, draait die hele film van mijn beroving zich in mijn kop weer af. Wanneer ik nu ook nog naar de ellende van anderen moet luisteren, word ik depressief!'

Maar Paula was niet van plan zich de mond te laten snoeren.

'Wisten jullie dat twintig procent van alle bejaarden op de een of andere manier wordt mishandeld, fysiek of psychisch? Daar is grondig onderzoek naar gedaan door Gerda Krediet. Zij is sociaal psychiatrisch wijkverpleegster en werd voortdurend geconfronteerd met de meest schandelijke manieren van verwaarlozing. Ik heb dat boek erover meteen besteld. Nou, je schoenveters schieten los wanneer je leest wat er allemaal speelt! Arme opaatjes, opgesloten in donkere kelders, waar ze iedere dag een halfje brood naar beneden gooien! Bejaarde vrouwen die door een kwaadaardige neef handelingsonbekwaam worden verklaard, zodat ze worden opgeborgen in een inrichting en hun bankrekening wordt geplunderd. En jullie hebben ongetwijfeld gehoord hoe gruwelijk ouwe mensen in bejaardentehuizen gepest worden!'

Paula kreeg niet de kans nog meer vreselijke voorbeelden op te noemen. Er barstte een kakofonie los van opgewonden stemmen, stemmen die allemaal een eigen ervaring wilden ventileren. De bijeenkomst ging erg lijken op een drukke wachtkamer bij de huisarts, waar het soms ook kon ontaarden in een luidruchtige samenzang, waarin de aanwezigen geanimeerd tegen elkaar opboden met de meest gruwelijke en vaak ook bloedige medische verhalen!

'Mijn dove tante van tachtig – haar telefoonrekening is geplunderd door de thuiszorg! Telefoonrekeningen van honderden euro's!'

'Mijn moeder liep een hele week in haar pyjama rond!'

'En die rechtszaak over die vrouw die uit haar bed was gevallen! Je hebt het op de televisie kunnen zien! Hoe ze smeekte om alsjeblieft weer in bed geholpen te worden. En hoe schandelijk die verzorgster haar gewoon liet liggen en tegen haar tekeerging!'

Nu nam Terry het woord: 'Mijn oude buurvrouw moest naar het bejaardenhuis. Ik heb haar daar bezocht en zo op het oog was daar niks mis mee. Ze heeft een mooie kamer, het eten is er ook niet slecht. Maar de eerste dag werd ze geconfronteerd met de pikorde die daar heerst. Ze ging naar de eetzaal voor de gezamenlijke maaltijd. Ze was vroeg, er was nog niemand en ze zocht een prettig plekje uit. De zaal liep langzaam vol. Plotseling kwam er een ouwe vent op haar af: "Zeg wijfie, je zit op mijn plaats!"

Nu was dat een van de dingen waar mijn buurvrouw op had gelet toen ze de leefregels van dat huis las: "Er zijn in de eetzaal geen vaste plaatsen!"

Dat had ze goed onthouden, dus ze antwoordde vriendelijk: "Meneer, er zijn hier toch geen vaste plaatsen?"

Die man werd kwaad. Hij liep met een stok en die hief hij dreigend naar mijn buurvrouw op. "Ik zit hier al drie jaar op deze plek. Dit is mijn plek. Weg jij! Of..."

Waarop mijn buurvrouw zo verstandig was om maar op te staan en in de inmiddels volle zaal nog ergens aan te schuiven.'

Na dit verhaal begon iedereen weer door elkaar te roepen. Lena kreeg even de neiging haar handen tegen haar oren te drukken. Tegelijkertijd steeg er een kille razernij in haar op.

Ze stond op en schreeuwde boven het gekakel uit: 'Stop! Houden jullie op met die rare stemmingmakerij. Jullie doen net of wij allemaal potentiële slachtoffers zijn van... ja, van wat? Jullie roepen op die manier het ongeluk over jezelf af!'

Even, heel even bleef het stil. Toen begonnen ze weer allemaal door elkaar te roepen.

'Nou zeg! Ga jij een beetje duur doen! Je bent zelf nota bene slachtoffer geweest van die griezel bij die pinautomaat!'

'Dat had iedereen kunnen overkomen.'

'Maar die percentages van dat onderzoek dan? Twintig procent! TWINTIG PROCENT! Laat dat nou toch eens tot je doordringen! Dat is geen kattenpis, Lena! Wij zitten toch overduidelijk in de gevarenzone!'

Maar Lena had haar argumenten klaar: 'Weet je waar ik zo langzamerhand meer dan genoeg van begin te krijgen? Wij werken er zelf aan mee. Ik doe het zelf ook! Leuke opmerkingen maken over m'n leeftijd. Zeggen: "Ik ben een ouwe digibeet. Ik weet niet meer hoe het allemaal werkt!" Ik weet nog goed dat de krant waar ik columns voor schrijf, overging op de digitale verwerking. Ik zette tot het allerlaatst mijn stukjes op de steno. Of op de fax. Tot mijn redacteur mij belde en zei: "Lena, onze laatste typiste is met pensioen. Zou je nu eindelijk eens een computer willen aanschaffen!"

Ik moest dus wel. En ik verzeker jullie: het is een bloedbad geweest! Maar nu doe ik het al jaren. Ik heb het gewoon geleerd!'

Nu schoot Terry uit haar slof: 'God, wat ga jij tekeer! Allemaal goed en wel, jij hebt geen pensioen, dus je moet wel. Maar wij hebben het hier over iets anders. We voelen ons bedreigd. Op een bepaalde manier worden oudere mensen net zo gekleineerd als vrouwen vroeger. Bovendien zijn het boven de vijftig ook nog eens voornamelijk vrouwen...'

'Ja,' zei Lena, plotseling timide, 'dat is waar.'

'Wil er iemand misschien een glaasje port?' gooide gastvrouw Lies olie op de golven.

De bijeenkomst zette Lena aan het denken. Er heerste angst onder de vrouwen die langs het pad woonden. Er waren geen oplossingen aangedragen, oplossingen die de angst en de onrust onder hen konden verminderen of laten verdwijnen.

Moesten ze een buurtpreventie in het leven roepen? Maar wie in dit stille dorp zou bereid zijn bij nacht en ontij te surveilleren? De weinige mannen in de kracht van hun leven die hier nog woonden, hadden wel iets anders aan hun hoofd. Van vrijwilligers viel hier weinig te verwachten.

Bovendien ging het niet alleen om de veiligheid van de vrouwen die langs het pad woonden. Hier was sprake van existentiële angst, die gegrond was in de angst voor de naderende afhankelijkheid van hun oude dag. Het ging erom dat ze die angst onder ogen durfden te zien. Assertief maatregelen moesten nemen om er het beste van te maken. Onnodige risico's vermijden. Babyfoons aanleggen om elkaar te waarschuwen bij onraad. Of toch…

Lena nam een besluit.

Op een donkere avond – regen sloeg tegen de ramen, wind waaide om het dak – zocht ze het adres van de teckelclub. Jaren geleden bezocht ze de voorzitter van die club in zijn huis, waarachter een kennel was gebouwd met uitsluitend teckels. Dat huis was doortrokken van zijn hartstochtelijke liefde voor de gladharige dwergdashond, alle deurknoppen in zijn huis hadden de vorm van teckels, aan de wand hingen foto's van prachtexemplaren, één enorm olieverfschilderij pronkte op de schoorsteenmantel boven de haard en als achtergrondmuziek klonk er voortdurend vrolijk geblaf uit de kennel in de tuin.

Ze zocht in een oud opschrijfboekje zijn adres, maar toen ze het nummer draaide, bleek het afgesloten. Misschien was de oude baas inmiddels overleden.

Ze had net haar laptop aangezet om te googelen naar een nieuw teckelaanspreekpunt om erachter te komen of er ergens een nieuw nest gladharige dwergen was, toen de bel ging. Vreemd, ze had het tuinhek niet horen schuiven... De klok had negen uur geslagen, wie zou haar op dit uur willen bezoeken?

Lena's hart sloeg over. Het gevoel van onveiligheid dat ze te lijf wilde gaan, nam weer bezit van haar. Ze liep naar de voordeur en riep: 'Wie is daar?'

'Vreede,' antwoordde een lage mannenstem. 'Tom Vreede. We hebben elkaar eerder ontmoet.'

Vreede. Tom. Nou ja, vooruit dan maar. Af en toe moet je risico's nemen.

Ze maakte de haken los en opende de deur.

Voor haar stond de man met de hoed die ze een paar maanden geleden in de mist had ontmoet op het pad. De man die beweerde dat hij een ommetje maakte.

Nu droeg hij geen hoed. Hij was een beetje kaal.

En naast hem stond de grootste hond die ze ooit had gezien.

'Dag, mevrouw Steketee. Wij hebben elkaar een poosje geleden de hand geschud. Herinnert u het zich nog?'

'Ja.'

'Ik heb uiteindelijk het huis bij de brug gekocht.'

Zo zo. Wat wilde hij van haar?

'En nu heb ik een vraag.'

Eindelijk kwam het bij Lena op hem binnen te laten. 'Komt u binnen.'

'Graag. Heeft u bezwaar tegen Jasper? Hij is heel vriendelijk.'

'Welnee.'

Ze ging man en hond voor naar de kamer. Het vuur brandde hoog.

'Gaat u zitten.'

Hij ging zitten, de enorme hond op zijn kont naast hem.

'Wilt u iets drinken? Koffie? Thee? Of een glas wijn?'

Wanneer hij nu toch aan het pad woonde, zogezegd buurman was, kon ze hem ook wel vriendelijk bejegenen.

'Een glas wijn, dat zou heerlijk zijn. De winter is begonnen, ik hoorde net op het weerbericht dat er nachtvorst wordt verwacht.'

Lena schonk twee glazen rode wijn in en gaf de hond een bak water, die hij gretig leegslobberde.

Ze hief haar glas naar de man en dronk hem toe. 'Op

uw nieuwe huis. Dat u er maar gelukkig mag worden!'

Ze dronken.

'À propos, mevrouw Steketee. Ik kom met mijn vraag.'

'Gaat uw gang.'

Het leek of de nieuwe buurman plotseling door verlegenheid werd bevangen.

'Eh... zoudt u... ik bedoel... denkt u dat u in staat bent het weekend voor Jasper te zorgen?'

Lena's mond zakte een beetje open. 'Zorgen? Voor die... dat... die enorme hond? Wat is het eigenlijk voor soort?'

'Een sint-bernard.' Het klonk bijna verontschuldigend.

'Eh... u overvalt mij. Het toeval wil dat ik zojuist het besluit heb genomen toch maar weer een teckel te nemen.'

'O, maar eh... komt die teckel al snel?'

'Ik ben pas aan het uitzoeken of er ergens een nest is.'

Ze streek haar hand over haar hart. 'Ik wil wel een weekend op Jasper passen.'

Bij het horen van zijn naam kwam er beweging in het kalf. Hij huppelde, nu ja, hij sprong enthousiast op Lena af en legde een enorme poot op haar knie.

'Hij verstaat u!'

Lena streelde de zachte kop van Jasper. Met zo'n enorm dier naast je bed was je absoluut veilig.

'Ziet u, mevrouw Steketee, hij is van mijn zoon. Die moet voor een halfjaar naar het buitenland. Hij zette mij voor het blok. Want ik moet ook nog wel eens weg. En je kunt niet overal met Jasper aan komen zetten, dat begrijpt u!'

Lena begreep het. Maar ze begreep plotseling ook het Noodlot. Het Toeval. De Voorzienigheid. Misschien was het zelfs wel de Hemel, die hier in haar leven ingreep door haar een sint-bernardshond op haar dak te sturen. Sterker nog, ze kreeg er geweldig veel zin in. Ze pakte de brave poot van Jasper en probeerde hem te schudden zoals je een hand schudt.

Hij kwijlde, maar het kon haar niet schelen. Ze werd er heel jolig van.

'Mag ik hem dan morgenochtend bij u parkeren? Dan breng ik zijn mand en zijn speeltjes mee. En zijn eten natuurlijk.'

'Hoe vaak moet Jasper worden uitgelaten?'

'Vier keer per dag. Hij heeft wel behoefte aan beweging.'

'Dat heb ik ook,' zei Lena, 'dat komt dus goed uit!'

Nadat zij Tom Vreede en zijn sint-bernard had uitgelaten maakte ze een huppeltje, een raar dansje.

Soms hoefde je niets te regelen. Dan kwamen de oplossingen voor de problemen zomaar onder handbereik.

Ze streelde de gelijmde Kareltje, die haar vanaf de piano vrolijk aankeek.

'Hij past niet in jouw mandje,' zei ze tegen hem. 'En ik weet ook niet zeker of hij wel met mij wil dansen. Maar het is wel een goeie waakhond!'

Die nacht vergat Lena de deur op slot te doen.

Het was een openbaring. Zelfs het vier keer per dag Jasper uitlaten viel Lena licht. Haar conditie verbeterde enorm, ze was vijf kilo afgevallen sinds ze nu ieder weekend, dat bovendien geregeld vier dagen duurde, met Jasper langs het pad rende. Want gewoon lopen deed hij niet. Hij hield van tempo. Ze had ook geen tijd meer om nostalgisch en treurig haar verleden te herkauwen, zodat haar humeur sterk verbeterde. Ze zong zelfs weer onder de douche.

Het was of de zorg van de Hemel of de Voorzienigheid zich nu ook uitstrekte over alle oude weduwen en gescheiden vrouwen langs het pad. Want met geregelde tussenpozen moesten ze plotseling op honden passen: van overleden vriendinnen, van kinderen, ja... zelfs Terry, die zich zo kritisch had uitgelaten over de blonde lobbes van de familie, kwam plotseling voor de dag met een piepkleine yorkshireterriër, die ze heel toepasselijk Reus noemde...

Lena koesterde wel eens licht romantische gedachten wanneer Tom Vreede Jasper kwam brengen. Of halen. En haar een min of meer veelbelovende kus ergens onder aan haar wang, bijna in haar hals schonk, als dank voor haar goede zorgen voor zijn hond.

Maar dan dacht ze weer aan de cijfers van het onderzoek, hoe geweldig hoog De Hond als levensgezel en partner scoorde ten opzichte van De Man. 8,7 procent tegen 7,3 procent.

Ze zag dan ogenblikkelijk af van iedere toenaderingspoging, die ongetwijfeld een teleurstelling zou opleveren.

Eigenlijk was de enige baldadige dagdroom die ze zichzelf op mooie voorjaarsdagen toestond, de gedachte tóch nog eens, ooit, zo'n heerlijke intelligente ondeugende vrolijke glanzende teckel te nemen. Al was het alleen maar om mee te dansen.